朝日新聞静岡県版連載

遠州考 III

——やらまいかを探る

長谷川 智

本書題字・王進
文中は敬称略

はじめに

朝日新聞社静岡総局長　細澤礼輝

私が静岡総局に赴任したのは２０２０年春。この「遠州考Ⅲ」を開くと、最初に登場する「浜松・湖西のまつり」が、私にとっての「遠州考」初体験でした。

驚いたのは、堂々たる1面トップ記事に匹敵するボリュームを毎週執筆し続けるバイタリティーです。しかも、「考」を名乗りつつ、その中身は「考察」にとどまらず、いずれの回も研究者や祭りの担い手らから聞き取った生の言葉が盛り込まれています。「自らのふるさとである遠州を深く掘り下げたい」。取材、執筆に臨む長谷川智記者の思いの強さがうかがわれます。

連載開始から3年、全29シリーズに及ぶ遠州考ですが、私が最も印象深かったのは、この「Ⅲ」におさめられている「国鉄浜松工場の光芒」です。私自身、鉄道担当の専門記者を務めていたことから浜松工場には何度も足を運んできました。世界の高速鉄道の最先端である浜松工場は遠州にどんな光をもたらしたのか。考えたこともなかったテーマに心躍りました。

詳しくは本書に譲りますが、長谷川さんは、明治末期、当時の浜松町が鉄道工場誘致のために１５０人もの大陳情団を東京に派遣したことに着目します。集団陳情が禁じられていたことから、遠州の東海道線の各駅から分かれて乗り込み、東京・日比谷公園をめざす町民たち。丁寧な描写によって、１００年以上も昔の遠州人たちの熱意あふれる行動が生き生きと浮かび上がってきます。そのうえで、「やらまいか市政」と言えるような「浜松の町づくりの原型がここにある」と読み解いてみせるのです。浜松工場シリーズには、陳情団の町民に加え、気性の荒い渡り職人や、後に世界的企業に育つ鉄工所を開いた元職員、工場内の文芸サークル誌を担った元文学青年ら、バラエティー豊かな人々が登場します。大所高所からではなく、人々の営みに着目する長谷川さんの姿勢には思い当たることがあります。

15年ほど前、東京本社経済部長だった長谷川さんのもとで、私は総務省担当の一記者でした。大所帯の部長ともなれば現場とは疎遠になりがちですが、長谷川さんは「わいがや会」と称して毎週1回、現場に足を運び、好き放題にしゃべる記者をにこやかに見守っていました。遠州考のページをめくり、市井から遠州を解き明かしていこうとする取材姿勢に触れ、当時の姿が思い起こされます。

「遠州考」の「Ⅰ」と「Ⅱ」は、遠州地方を中心に公立図書館にあり、貸し出しています。そちらもぜひ読んで頂きたいと思います。最後に「遠州考」連作の出版にご尽力いただいた羽衣出版の松原正明さんに感謝申し上げます。

（２０２１年4月）

目次

国鉄浜松工場の光芒

森町の孤高

佐吉と湖西

太平洋の贈り物

浜岡・浅根の祈り

遠州考 III

浜松・湖西の祭り

1　拡大の裏、周辺部は担い手不足

春4月。例年なら浜松市中心部は5月の「浜松まつり」に向けて高揚していく。しかし2020年、新型コロナウイルスの影響で中止になった。静かになった春、浜松市と湖西市の祭りを考える。

遠州考は昨年秋、「中東遠お祭り天国」を5回連載した。中東遠の祭りは屋台中心で神社の祭りである。神事、屋台、おはやし、余興の四つの視点で考えた。

浜松・湖西の特徴は人出200万人の浜松まつりが圧倒的な存在感を持つことだ。しかも神社と結びついていないイベントである。一方、周辺部は神社の祭りで、北遠を中心とした山間部は「民俗芸能の宝庫」と言われる。

2019年の浜松まつりでは新元号を祝うたこが舞った。たこは2020年、見られない＝浜松市南区の中田島砂丘

中東遠のような共通点は少ない。そこで「起源」と「担い手」の二つの視点で考える。いつ、どんな理由で祭りが生まれたのか。誰が担い、今後どうなるのか——。まず浜松まつりを取り上げる。

たこ揚げ・屋台が柱

静岡大情報学部教授の杉山岳弘（50）は「浜松おまつり暦」というＨＰを作った。岐阜県出身の杉山は「浜松まつりは市民のプライドの塊だ。私は『シビックプライド』と呼んでいる。自治会中心で、学生や外国人も参加させ、町全体の盛り上がりは全国でも珍しい」と話す。

二本柱はたこ揚げと屋台。起源につい

て公式ガイドブックは「４５０年前、城主の長男誕生を祝ってたこを揚げた」とするが、「定かではない」と留保条件もつける。根拠は「起源は永禄年間（１５５８～70年）」とした「浜松城記」という書物。浜松市史にも採用されたが、今は「浜松城記は偽物」が定説だ。

専門家の話を総合すると、文書で確認できる浜松最古のたこは１７８９年。江戸時代は各地でたこ揚げの風習があり、浜松では明治以降も残った。私設消防の若者が町対抗の糸切り合戦を開始。初子の家からの資金提供で盛り上がった。その後は軍の練兵場が会場になり、昭和になると屋台が作られ豪華さを競った。

祭りの「スゴイもの50撰」ポスターを手にする静岡大の杉山岳弘教授＝静岡大浜松キャンパス

参加町、68から１７４に

戦後は「膨張と統制」の歴史だった。１９７５年に郊外の卸本町の参加を皮切りに拡大。当時68だった参加町は現在１７４。市域拡大に合わせて市民意識とエネルギーが高まっていった。神社なら氏子中心に統制するが、浜松まつりは企画統制監理部、通称「統監部」といういかめしい名の組織が担う。組織委員会は市、商工会議所、観光団体、自治会の４者が中心だ。

観光団体は杉山の監修で「ご当地自慢のお祭り　スゴイもの50撰」というポスターを作り、「オススメ５撰」を選んでいる。しかし、最大集客の浜松まつりは５撰にはない。北遠など周辺の祭りが多く掲載されているが、過疎化で担い手不足が深刻だ。

合併後の２００７年の市長選で、分権を訴えた現職が落選、「浜松は一つ」と主張した現市長の鈴木康友が当選した。鈴木は経済界の意見を重視し、中央集権で行政効率化を推進した。その過程で北遠や民俗芸能関係者の間で「切り捨てられた」という不満が高まっている。浜松まつりの膨張と周辺部の担い手不足は現市政と相似形に映る。次回は北遠の祭りを考える。

（２０２０・４・３掲載）

2　「中世の世界」北遠に脈々と

愛知、静岡、長野の３県が接する三遠南信は「民俗芸能の宝庫」である。この地域の祭りを紹介した「花祭《はなまつり》」（１９３０年刊）は、日本民俗学の古典的名著とされる。北遠の祭りを考える。

著者は愛知県生まれの早川孝太郎（１８８９〜１９５６）。「問題の地域　天龍川」という物々しい章で始まる。「天龍の地名は沿岸のどこにも見当たらぬ。ただの川ではない」という古老の話を紹介。中流域が最も山深く、世間と隔絶している天竜川水系の特徴を説明する。

北遠には人が古くから住んだ。伊勢や熊野の修験者が芸能を伝え、厳しい自然が信仰心を育み、不便な土地が古い祭りを残した。「花祭」は愛知県の名称で、旧佐久間町では「花の舞」という。大正時代には７カ所あったが、今は川合と今田の２カ所。共通するのは「中世の世界」だ。

川合は天竜川と大千瀬川が出合う場所で、１日現在89世帯。大千瀬川上流は愛知県の花祭地域だ。「川合花の舞」の起源は鎌倉末期と伝わる。地元の八坂神社で10月の最終土曜日の午後

3時から翌未明まで、湯を沸かした釜の周りで笛や太鼓にあわせて18の舞が続く。

「川合花の舞」を描いた日本画の前に立つ平賀釟三郎さん＝浜松市天竜区佐久間町川合

子どもの舞手不足

神社の鍵を管理する「鍵取《かぎとり》」と呼ばれる平賀釟三《はちさぶ》郎《ろう》（81）は「魅力は一瞬で時代をさかのぼり、舞い手と見る人が一体になって酔いしれることだ。課題は小学生以下の舞手をどう集めるか。最大で28人必要だが、川合には2人しかいない。地域で継続の方法を考えていく」と話す。

過疎は容赦ない。今田は人口減で存続を危ぶむ声もある。花の舞ではないが、江戸時代が起源の「浦川歌舞伎」は昨年9月の公演で休止した。保存会長の大沢重夫（72）は「花（寄付）が減って資金難になった。いずれ再開したいが……」と話す。

先祖が子孫に伝承

旧水窪町では奈良時代が起源と伝わる「西浦《にしうれ》の田楽」が著名だ。民俗学者の折口信夫が価値を発見し、日本初の重要無形民俗文化財になった。日程は旧暦1月18日の月の出から翌朝の日の出までをかたくなに守る。「能衆」と呼ばれる世襲が担い、前後や当日の儀式も厳格だ。

２０２０年は2月11日夜から。夜通し見た。気温３度、夜空に雲はない。月明かり、たいまつ、約２００人の見物客。柳田国男は見物客の発生を「祭りから祭礼へ」と位置づけ、祭りの変質を指摘した。最近の民俗芸能では説明役も登場するが、西浦では何の説明もなく能や舞が続く。「見せ物ではなく、先祖から子孫に伝える祭り」という考えだ。「地固め」「田打ち」「鳥追い」と農作業に関係した演目が続く。夫役やおっかあ役、子授けの儀式もある。時に面を

早朝の西浦田楽。子どもたちの記憶に刻まれていく

つけ、弁慶や牛若丸も登場して多彩だ。神を山に返す最後の「しずめ」は厳粛である。世襲の子どもたちはほぼ夜通し見つめていた。

西浦田楽の最後の儀式「しずめ」。多くの見物人が見守る

幻想的な雰囲気で行われる「仏の舞」＝いずれも浜松市天竜区水窪町奥領家

　故郷で共有した時間と空間は深い記憶を肉体に刻む。人生で困難に陥った時、孤独を感じた時、こうした固有の記憶が自分を励ましてくれる。それが時に信仰心にもつながる。すべての祭りの本質で

はないだろうか。

（２０２０・４・10掲載）

３　引佐の芸能、継続に知恵こらす

今回は旧引佐町（現浜松市北区）を中心に紹介する。大河ドラマ「おんな城主直虎」になった井伊家発祥の地。「ひよんどり」と「おくない」は国の重要無形民俗文化財で、中世文化が残る。継続の知恵を考える。

「引佐町物語」（１９６６年刊）という本がある。筆者は同町金指出身で、戦前にパリ特派員を務めた元読売新聞記者・松尾邦之助。「火踊り」が転じたといわれる「ひよんどり」について、「将来を誓った男女がこの夜は自由に恋を楽しむことができる」と紹介。劇団たんぽぽを創設した小百合葉子が祭りの夜の自由恋愛で生まれ、「私生児」として生きた人生をつづっている。明治時代ごろまでの風習のようだが、祭りは「性」と結びついていた。

小百合が住んだ川名地区で１月４日夜に開かれる「川名ひよんどり」は、６人の若者が堂の前でたいまつともみあう場面が有名。その後、各種の舞が披露される。起源は１４２０年代ころとされ、継続のための手が打たれている。

ちょうちんは電気に

祭りは決まった一族が担うが、保存会長の前嶋功（71）は一族とは関係がない。「昔はあかりにちょうちんを使っていたけど、便利な電気にした。舞の女人禁制も解いた。たいまつともみあう6人の若者も地元にいないので、浜松学院大などから集めている」。会社勤めが長く、今は東区でメロン販売を手がける。合理的で柔軟な発想が光る。

川名のひよんどり保存会長の前嶋功さん
＝浜松市東区

「寺野ひよんどり」は1月3日午後、三遠南信道路のインターチェンジに近い36戸の寺野地区で開かれる。起源は１５７０年ごろとされるが、１９５５年から「古くさいからやめよう」と5年間中断した。しかし、地元の日本画家で日展入選経験もある伊藤信次が、西浦田楽（旧水窪町）を特集した雑誌を目にし、「寺野ひよんどりも価値がある」と復活に奔走した。

長男の八右《やすけ》（70）は小学校6年から能の面作りに励み、浜松市の消防署を定年後は面打ちに専念する。「寺野ひよんどりは昔、夕方から朝までだったが、今は4時間ほど。3匹の鬼が出る場面や真剣を使った舞が見どころ。子どもの舞は小学校と連携して教え、継続していく」と言う。

寺野ひよんどりを見て育った伊藤八右さんは面を作る＝浜松市北区

国際性・中世の息吹

「おくない」は「行い」が転じた言葉で、山を越えた「懐山《ふところやま》のおくない」（天竜区）も国の文化財。これらの祭りで語られる言葉は「詞章《ししょう》」と呼ばれ、わかりやすく解読する研究が近年進んでいる。「翁《おきな》」という章は、男の老人が中国やインド、日本各地の宝物を紹介し、土地の人々に力を与える筋書きだ。意外な国際性と奥深く豊かな中世の息吹が感じられる。伝統芸能の新たな魅力である。

２００年以上続くとされる「横尾歌舞伎」は県の文化財。10月に地元神社への奉納芸能として開かれる。戦後しばらくは好事家中心だったが、保存会を作って自治会も関わり、担い手が整った。保存会長の高井勇（71）は「衣装から役者まで全部地元で成り立っている。公演はおひねりも飛び、にぎやか。三味線弾きや太夫を育て、細く長く続ける」と意気込む。（２０２０・４・17掲載）

4　兄弟分や上下関係、絆が支えに

今回は浜名湖周辺の祭りを取り上げる。歴史や風土に刻まれた多彩な祭りがある。浜松市西区舞阪町を代表する祭りは「舞阪大太鼓まつり」である。合併前の舞阪町は１９９９年、２７２ページの祭り資料集を出版した。その中で「兄弟分《きょうだいぶん》と宿《ヤド》」という項目が目を引く。

横尾歌舞伎保存会長の高井勇さん（右）と事務局の高井克昌さん＝浜松市北区

多くが漁師になった舞阪では昭和30年代前半まで、同年配の若者が集うヤドがあった。中高校を卒業すると、町にいくつかあるヤドに集まり、時に泊まる。この絆が祭りを支えた。「兄弟分」の言葉は今も残る。

祭りの中心は小高い場所にある岐《き》佐《さ》神社。安政東海地震（１８５４）で町民が逃げ、津波の難を逃れたと伝わる。祭りは４００年の伝統とされるが、太鼓は明治時代に登場。昭和になると各町が大きさを競い、今は直径２・５メートル。みこしのお渡りは分単位で動く。日程は旧暦9月14～15日をかたくなに守ってきた。平日開催が多くなるが、小中学校は休みだった。

舞阪の大太鼓は神社の鳥居をやっとくぐれる大きさだ＝浜松市西区舞阪町

今年から土日に変更

しかし２０２０年、大きな改革がある。日程を旧暦日に近い土日に変更したのだ。今年は10月31日～11月1日。今後は10～11月の土日で毎年動く。今年の年番町の責任者・鈴木新治(64)は「勤め人が多くなって参加者が減ってきたのが変えた理由。担い手が増えるかしばらく様子を見たい」と期待と不安が交じる。

旧新居町を代表する祭りは、手筒花火の「諏訪神社祭礼」。湖西市と合併後の２０１６年、報告書がまとめられた。あいさつ文には「地域独自の文化や伝統は放っておけば衰微する」「疲弊しかけたまちに活気、自信、誇りを取り戻したい」と合併の危機感があふれる。

火薬使用を特別許可

新居では「花火を出す」という。祭り当日に手筒花火を抱え持つ人が、お金を出し、２カ月近くかけて花火を作る。竹を切って、煮て、陰干しし、縄を巻き、火薬を詰める。7月の祭り当日は十数秒で燃え尽きる。渡船や関所で江戸幕府を支えた新居が、特別に火薬の使用を許された。民衆の苦役をねぎらい、乱舞する一瞬とされる。

花火は三河地方から伝わったともされるが、報告書の事務局を務めた湖西市観光交流課の松山智次郎（53）は「起源は同時期で、儀礼を残す三河に対し、新居はおおらかに発展した。火を扱うので新居では上下関係が厳しい。兄弟分の舞阪は横の文化だが、新居は縦の文化。今後の課題は、役人《やくびと》と呼ばれる祭り運営者の確保にある」という。

湖西の祭りはやぶさめが特徴で、10月に五つの神社である。「女河《めがわ》八幡宮例大祭」は県指定の無形民俗文化財。神事の種類が豊富だ。馬上の3人の少年が7往復する「十列児《じゅうれんじ》」、3人の少女が馬に乗る「巫女卜《みこのうら》」などがある。地区内で輪番に担当する「宮座《みやざ》」が担い、「庁屋《ちょうや》」と呼ばれる神社にある小屋を活動拠点とする。こ

女河八幡宮の神事は少年たちが注目を集める＝湖西市新所の女河八幡宮

れらは近畿地方の影響とされる。

氏子総代の青島一郎（61）は「周辺の祭りは同じ日が多いので、見る人は地元中心。見物客は少なくてもみんな楽しみにしている」と話す。神社は浜名湖に面し、屋台も出る。のどかな湖岸の秋祭りである。

（２０２０・４・24掲載）

5　都市と過疎地、連携で強みを

例年ならこの時期、浜松市街では「浜松まつり」を控えてラッパの音が聞こえている。「浜松・湖西の祭り」の最終回は、浜松まつりと浜松市全体の祭りを考える。

浜松まつりを初めて見た人にとって最も印象に残ることは何だろう。最右翼はラッパではないだろうか。威勢の良さと軽快なメロディーは「やらまいか浜松」の象徴のように聞こえる。

ラッパの起源は軍隊

浜松市発行の「市制百周年記念誌もともとせ」は、ラッパについて「高射砲連隊の進軍ラッパにちなんだ」と書き、起源は軍隊にあるとする。浜松は戦前、重爆撃部隊が置かれる軍都で中国侵略の拠点だった。たこ揚げ会場に軍の練兵場が使用され、軍とは密接だった。ラッパを吹くならこの歴史も知っておきたい。

「浜松凧揚祭《たこあげまつり》研究会」という団体がある。代表の中村善太（45）は大学の卒論で「浜松凧揚祭史」をまとめた。旧浜松宿で始まって周辺部に膨張していく歴史を「祭りは近世共同体が近代始動期に再編される過程で発生した。その後は国家が国民に求める近代的価値観で成立し、戦後は市民意識を高揚させる装置となった」と分析。祭りが国家の要請と表裏一体で発展したと結論づけた。

東日本大震災直後の２０１１年、浜松まつ

夜をにぎわす浜松まつりの御殿屋台＝浜松市中区

CASTING HIS FATE to the wind, a mother touches the hand of her firstborn son to the line of the

downed—leave the child at home and even try to avoid combat.
The role of a firstborn son remains the

Each son's family must pay for the kite and the refreshments, as much as $500. Some families must wait, saving money for years after their son is born.

one flier, "some people make great sacrifices for this event, even if they can't really afford to."
Aglow with delight, a girl watches

浜松まつりは1977年4月、米国の地誌学雑誌「ナショナルジオグラフィック」で特集された。表情が印象的だ

りは市長が会長を務める本部のトップダウンで中止が決まった。研究会は「十分な議論がなかった」と問題提起の冊子を作った。中村は「浜松まつりは神社の氏子のような存在がなく、議論する場がなかった」と指摘する。今年の中止は関係者で一応の議論があった。問題提起の成果といえる。

各地区の祭りと併存

旧浜松市の祭りは、浜松まつりと各地区の神社祭りが併存する二重構造にある。

10月の蒲《かば》神明宮例大祭（東区）では、地元10町の豪華な屋台が出る。戦後の都市化の過程で浜松まつりへの参加希望が高まり、1町が1986年、たこ揚げに参加。その後は屋台も出す町が続いた。宮司の富田直次郎（79）は「浜松まつりへの参加は町の

意思に任せているが、秋祭りはしっかりやる。秋祭りではラッパを吹く時間や場所を制限している」と一線を引く。

古く珍しい神事もある。西区の賀久留《かくる》神社の神幸祭《しんこうさい》は、ききんをきっかけに豊作を願って室町時代に始まったと伝わる。古い装束で行列する京都の「葵祭」に似ていて、古い衣装をまとった大勢の人たちが粛々と進む。

浜松市は合併で都市部と過疎地を抱え、祭りは「膨張と担い手不足」に二極化している。ともに輝くいい手はないか。今回の取材が佳境だった時、04年の中越地震で壊滅した新潟県の旧山古志村の復興を伝える番組が放映された。地震当時、新潟勤務だったので興味深く見た。カギは「都市との連携」という。都市の住民を工夫して呼び込んで交流し、双方が活力を得た。

浜松もこの手ではないか。都市部と過疎地が祭りの価値を共有して交流する。浜松まつりの場で北遠など市内の祭りを紹介し、担い手としても連携する。合併した浜松固有の強みだと思うが、どうだろうか。

（２０２０・５・１掲載）

劇団たんぽぽの心

1　地道な公演、全国に誇れる宝

「劇団たんぽぽ」は静岡県人に思い出深い。50年前になるが、私にとってもたんぽぽ公演は祭りと並ぶ「非日常」の楽しみだった。創設者は小百合葉子（1901～86）。今回の取材でその生涯を知り、深い感動を覚えた。小百合の強い信念に導かれた劇団は全国に誇れる宝だと感じた。しかし今、新型コロナウイルスの影響で公演ができない。劇団は存続の危機にある。永遠の継続を願って劇団たんぽぽの「心」を考える。

劇団たんぽぽを創設した小百合葉子さん

舞台監督の矢羽田《やはた》輝伸（64）は、阿蘇山に近い熊本県小国町で生まれた。宮崎県にある旭化成の工員養成所に入り、たまたま見た「にしきのあきらショー」で華やかな舞台照明に魅せられた。退社して東京の映画関係の学校に入った。しかし、生活資金が続かない。演劇雑誌で食事と寝床付きのたんぽぽの団員募集を知り、浜松に来た。21歳だった。

「照明をやりたいなら役者もやりなさい。見えてくるものがあるから」と小百合に言われ、役者もやった。しかし、なまりもあってセリフに苦労した。小百合は朝やって来ると、「セリフが下手で寝ていられない」とぼやきながら、「セリフでウソをついてはいけない。本気で思うことが大切」と教えた。

けいこを指導する矢羽田輝信さん（左）＝磐田市上野部のけいこ場

親子で取る「栄養」

トラックで全都道府県を回った。今は3班あるうちの浜組チーフとなり、舞台監督や役者など何でもこなす。小学生の役をやることもある。

「児童演劇は大人にも子どもにも面白く、親子でいっしょに取る『栄養』だと考えている。喜んでくれる子どもの反応が一番うれしい。地方中心に子どものいる場所に行って地道に公演していることがたんぽぽの強みだと思う」

台本の読み合わせで演出家と言葉を交わす秋山友佳さん＝浜松市東区の劇団

劇団の誕生は45年の終戦直後。翌年、たんぽぽを名乗った。55年に児童劇団として初めて公益法人格を許可され、「社団法人教育演劇研究協会」となり、今は公益社団法人。小中学校を中心に全国で4・4万回の公演を開催。各種の賞を受賞してきた。

「一生続ける覚悟」

秋山友佳《ゆか》（31）は沼津市出身。小学校時代、たんぽぽの公演を見て演劇に関心を持った。共立女子大に進み、劇芸術を専攻。ミュージカルに憧れたが、社会派の演劇にも興味を持ち、卒業後は文学座の研究生になった。しかし座員になれず、沼津に戻って就職した。

演劇への思いは断ちがたく、気になっていたたんぽぽのけいこを見るため、浜松を訪れた。「子どもだましならやめる」と考えていたが、真剣な姿勢に感動し入団した。５年ほどいた後、同僚と劇団のあり方をめぐって意見が合わず、１年ほど離れたが、昨年10月に復帰した。

「今は一生続ける覚悟。子どもにも大人にも面白い芝居をしたい。小百合先生に会ったことはないが、すごいエネルギーと心で芝居をする教えに学びたい」

小百合は裕福な家に育ったが、差別と偏見に苦しんだ。曲折を経て児童演劇にたどりつき、どんな子も劇を見て夢を持って欲しいと全国を回った。次回は小百合の生涯をみる。

（２０２０・５・15掲載）

2　逍遥との出会い、大きな自信に

小百合葉子は１９０１年、都田村滝沢（現浜松市北区）の旧家に生まれた。山あいの集落で、本名は山下みえ。母の実家は４キロほど離れた伊平村川名（同）でこちらも旧家。不自由なく育った。

私生児だった小百合

父が亡くなって母は実家に戻った。小百合も8歳の時、母を追って家出をし川名に移る。小学校を出て、浜松実科高等女学校（現西遠女子学園）に進み、寄宿舎に入った。利発で活発だった。先生になるため師範学校への進学を考え、戸籍謄本を取り寄せた。そこで出生の秘密を知り、大きな衝撃を受けた。私生児と記されていたのだ。

川名には「ひよんどり」という正月の祭りがある。今は国の重要無形民俗文化財。祭りの夜に結ばれた男女は親も許さなければならないという風習があるが、小百合の父母はこの日結ばれた。しかし父母ともに一人っ子の跡取りで、結婚は許されなかった。小百合は父が認知した私生児となった。

私生児は師範学校に入学できない法律があったかどうかははっきりしないが、小百合は憤った。創立者で校長だった岡本巌に「学校をやめる。日本一の不良になる」と言い放った。岡本はしばらく黙った後、「卒業してから日本一の不良になったらどうか。応援するよ」といった。意外な答えに涙を流し、思い直す。

師範学校進学を断念した小百合に女学校卒業のころ、縁談があったが、破談になった。身内にハンセン病患者がいたからだ。当時、遺伝する病気だと信じられていた。

小百合は大阪に出て、大阪市役所に見習いで入った。本採用の話が出たが、ここでも戸籍が障害になった。

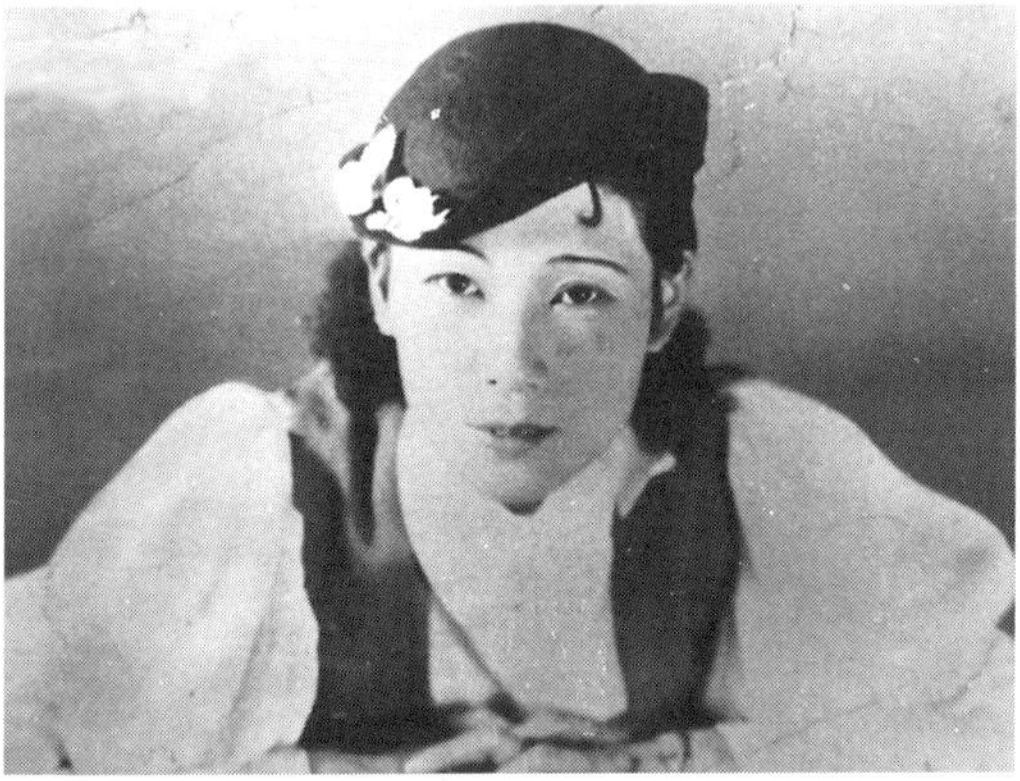

早稲田児童劇研究会に所属した頃の小百合葉子さん＝浜松文芸館所蔵

失意の小百合は沖縄に行こうと決意。沖縄にはハンセン病患者が多いと聞いていた。市役所の同僚だった男性と船が出る神戸まで行ったが、男性から結婚を申し込まれ、逃げ出した。三重・四日市に行き、服毒自殺未遂で病院に担ぎ込まれた。

新劇女優として活躍

その後、小百合は東京で演劇をしようと思い立った。22歳ころである。新宿のカフェで働き、若き日の舟橋聖一、井伏鱒二、小林秀雄、西条八十、堀内敬三らと出会った。特に作家の舟橋の支援は大きく、演出もしてくれた。小百合葉子の芸名で新劇女優として頭角を現した。

　美人で頭が良く、気っぷもいい小百合は人気があった。浅田飴オーナーの三男として東京・神田に生まれた堀内とは恋に落ちた。堀内は都会的センスに優れた音楽家で、慶応大学応援歌「若き血」の作詞作曲でも知られる。田舎っぽさが残る小百合を何かと手助けした。小百合は戦前の前進座、築地小劇場などに活動範囲を広げた。

坪内逍遥氏を囲んでの本読み風景。中央が逍遥氏、左後方が小百合葉子さん＝「たんぽぽの花は野に山に」から

　大きな影響を与える出会いがあった。29年、早大教授で演劇界の重鎮だった坪内逍遥と早大大隈講堂の地下にある小講堂で会った。70歳を超えていた逍遥は「婦人文化の向上は児童劇であり、童話である。これらがわからない女性に夢のある子は育てられない」と言った。小百合は早稲田児童劇研究会に入会し、演劇指導を受けた。「逍遥の直接の弟子」を自認し、大きな自信となった。（2020・5・22掲載）

3　戦後旗揚げ、沖縄公演に力注ぐ

時代は戦争に突入した。日米開戦の１９４１年12月、小百合葉子は結核療養で熱海にいた。その後、長野市篠ノ井に疎開。終戦直後の45年10月、「信濃芸術座」を旗揚げ。翌年、児童演劇の「劇団たんぽぽ」に改組した。

夢与えることが責任

小百合は創立について「日本人で厳密に戦争被害者と言えるのは子どもだけではないか。大人は自分の意思を伝える口を持っていた。大人の責任の取り方として、演劇で『子どもたちに夢を』を実現したい」と語っている。

教師を志したが果たせず、坪内逍遥との出会いで確信した児童演劇にかける決意をしたのだ。名称は踏まれても咲く「たんぽぽ」にちなんだ。自殺未遂で入院した病院で見て心を寄せたからだった。

53年、劇団を長野県から故郷の浜松市に移す。東京に移す選択もあったが、「浜松は日本のへそ。全国に行きやすい」といい、旧知の支援者からの誘いもあった。頼まれればトラックでへき地に行き、劇団は飛躍した。支えたのは、小百合の強烈な熱意とエネルギー、国内外から選んだ上質な作品、逍遥譲りの真剣なけいこだった。けいこ場は「道場」と呼ばれる。

特筆されるのは63年に始まった沖縄公演だろう。当時沖縄は米国占領下で、地上戦の傷痕も癒えていなかった。復興も本土より遅れていた。

きっかけは62年12月、三ケ日町（現浜松市北区）の中学校に沖縄から研修教員として派遣されていた兼浜朝一（当時33）が劇を見たことだった。86年に出版された「小百合葉子と『たんぽぽ』」（本田節子著）は、当時の様子を感動的に描く。

「すばらしかったです」。小百合と握手する兼浜の手は震えていた。「この芝居を沖縄の子に見せてやりたい」。小百合は「よろしゅうございます。まいりましょう」。とっさに答えた。小百合は沖縄の子がいとおしかった。本能的に感じる、差別された者へのいとおしみであり、弱い者への思いやりだった――

市・経済界あげて支援

最初の沖縄公演は63年11月だが、その年の2月、篠ケ瀬（東区）にあった道場が全焼した。団員は沖縄公演はとても無理と思ったが、小百合は「決行しますよ。人間、こうと決めたら突き進んでいくしかないのよ」と言った。遠州の偉人に共通している「一心不乱」「猪突《ちょとつ》猛進」の気質と言っていいだろう。河合楽器製作所の社長河合滋が沖縄への下見旅費を負担した。市と経済界あげての支援があった。

沖縄公演は離島にもおよび、地元新聞が連日大きく取り上げて大成功だった。4カ月の公演に14万人が詰めかけた。途中、公演を見に行く小学生2人がトラックにはねられて即死する惨事があった。小百合は後に子ども地蔵を贈り、はねたトラックの運転手を団員にした。

1963年11月12日付の沖縄の地元紙は劇団たんぽぽの到着を大きく報じた

沖縄公演で総理府との関係ができ、小百合は政府の沖縄勉強会に呼ばれた。北海道公演にも力を入れた。たんぽぽの累計公演回数は現在４・４万回、都道府県別ベスト３は静岡、長野、愛知だが、４位は沖縄、５位は北海道が続く。何というバイタリティーだろう。

（２０２０・５・29掲載）

北海道の網走刑務所を公演で訪れた小百合葉子さん（左端）＝1967年6月

劇団はトラックで次の公演地に移動した＝いずれも浜松文芸館所蔵

長野時代の小百合葉子さん

4　宝守るため、今こそやらまいか！

小百合葉子は１９８６年１月、84歳で亡くなった。団員28人にアンケートし、「あなたにとっての小百合先生のメッセージ」を聞いた。

静岡市出身の豊島哲也（53）はテレビの制作技術者から転身して３年目。受け手の顔が見える仕事をしたいと入団した。小百合のメッセージは「すべての子どもたちに平等に芸術を、だと思う」。

同市出身の柿平衣名美（32）は自分じゃない人間になりたいと演劇を志した。「頼まれればどこでも少人数でも行く。何か残る芝居をする」

高知市出身の谷本久美（32）は体が弱く学校にあまり行けなかった。高校の時、役者と出会って演劇の道に。劇団２階にある小百合の仏壇によく手を合わせる。「続けることに意味がある。踏まれても根を張ってたんぽぽの花を咲かせる。咲くのを待っている子どもがいる」

劇団たんぽぽのけいこ場には小百合葉子さんの写真が飾られている

「どの子も平等に」

磐田市出身の鈴木美保（29）は別の劇団に所属していたが、児童劇をやった時に子どもの反応に驚き、入団した。仏壇の部屋にある本を読み、困難に立ち向かった時の小百合に感動する。「どの子も平等に」の言葉が好きだ。

北海道出身の土橋茉里香（26）は中学生で見た公演に感動した。「すべての人が笑顔で幸せになって欲しい。観客全員に新しい種をまいて、新たな花になって欲しい」

小百合のメッセージは確実に引き継がれている。たんぽぽの優れている点と課題も聞いたが、ほぼ共通している。優れている点は「全国の学校での公演」「74年の伝統と知名度」「子どもも大人も楽しめる上質な芝居」。課題は「見る人の年代を広げ自主公演を増やす」「運営基盤を固め人材を育てる」が多い。ピーク時に2・3億円あった事業規模は2億円弱だ。

２００５年から4代目代表を務める上保節子（75）は川根本町出身。小学校時代に見た公演に憧れ入団した。たんぽぽの優れている点は「芝居のテーマが現実に根ざしてしっかりしていること」と思っている。人間は誰も美しい心と醜い心を持っている。教訓的ではなく面白く芸術的に表現する。「子どもはごまかせない。芝居は上手でなくてもいい。精いっぱい心を込めてやらないと通じない」

運営にコロナ直撃

代表の上保節子さん。劇団にある小百合さんの仏壇の前で＝いずれも浜松市東区

運営の苦労は大きくなっていた。学校と子どもの数が減っている。自主公演の充実や運営を担う人材育成も急務だった。そこに新型コロナウイルスの直撃を受けた。「迷うと仏壇で小百合先生に話しかけます。答えはいつも『やるしかないじゃん』。劇団をつぶさず、長く続けることを目指します」

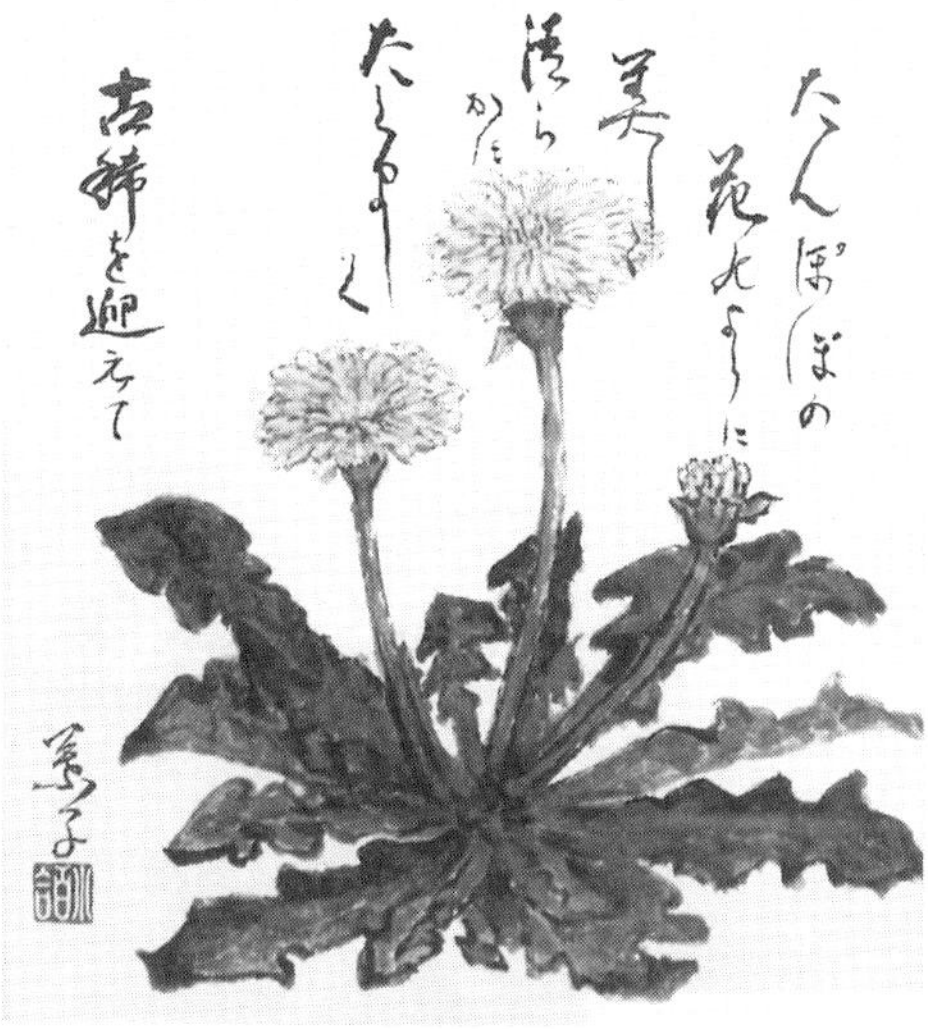

小百合葉子さんが描いたたんぽぽの絵

小百合はやらまいかの偉人である。私生児とハンセン病で強いられた悲しい体験を「力」に変えた。どんな境遇の子どもも明るく夢を持って生きて欲しい。そんな思いを劇団という「形」にした。

歌の一節　♪♪たんぽぽ、たんぽぽ、みんなのたんーぽーぽ♪♪　を覚えている人も多いだろう。みんなで遠州発の宝を支えてやらまいか！　コロナなんかに負けるもんか！

（２０２０・６・５掲載）

奇跡の斎藤塾

１　まるで大学の教養、教え子３０００人超

大正から昭和にかけて、浜松城近くに「斎藤塾」という私塾があった。塾長は斎藤謙三（１８９０～１９８４）。受験塾ではなく、授業は大学の一般教養に近かった。今思えば奇跡のような塾がなぜ存在したのか。教育と人作りを考える。

中学生に英英辞典

城に近い池町に住んでいた三輪容次郎（74）は、静岡大付属浜松中に入学した１９５９年、塾に入った。塾は浜松市立中央図書館の西側にあった。斎藤から週3回、各1時間半の英語を教わった。

教材は英語で書かれた文法の本、歴史書、文学書など。訳す時に使った辞書は「ＣＯＤ」。「コンサイス・オックスフォード・ディクショナリー」という分厚くて重い英英辞典だ。次々と質問され、間違っていれば腕をしゃもじでたたかれたり、「注射」と言ってつねられたりした。

塾長だった斎藤謙三さん。昭和40年代

三輪は「授業は脱線の連続。文法の話が、英米の歴史や文化、プラトンやシェークスピアに飛ぶ。英英辞典にある語源の話を聞き、おもしろかった。正解を答えるとうれしかったが、答えられないと悔しく、他の人が正解すると刺激になった。予習が必要だった」と振り返る。

斎藤は圧倒的な知識を持っていただけでなく、金や権力に左右されない人格も強烈だった。

「ふやけた金持ちを嫌い、貧しい家庭の子を大切にした」と三輪は言う。斎藤の死後に出された追悼本で、中学教師になった卒塾生が「私は貧しく、虚弱で、内気だった。家族が亡くなり、親戚をたらい回しにされた。しかし、月謝を免除してもらい、目をかけてもらった。塾がオアシスだった」と書く。

多くは難関大学に

塾は1917（大正6）年、斎藤が26歳の時に田町で始まった。戦後、図書館に隣接する松城町に移り、亡くなる前年の83（昭和58）年まで続いた。卒塾生は3千人以上。多くは難関大学に進み、学者、医者、官僚、

三輪容次郎・日管社長。訪問者には本棚の本を贈る＝浜松市中区の日管本社

企業人、教師などになり、浜松市長に就任した人もいる。

塾には数学もあり、藤田敦男が教えていた。斎藤と違って、温厚だった。幾何の問題の切れ味鋭い教えが、多くの記憶に残っている。

三輪は浜松北高1年の末、大学受験のため塾をやめた。受験技術は塾で教わっていなかったが、脳が刺激で鍛えられたためだろうか、受験勉強はスムーズで東大経済学部に合格した。4歳違いの兄も塾で学び、東大農学部から農林官僚になった。

斎藤塾の評価は礼賛一方というわけではない。しゃもじでたたいたことは、今なら体罰と言われかねない。塾で得た知識を学校でひけらかし、教師や同級生に敬遠されることもあった。脱落した人も多い。

三輪は東大で応援部に入った。法政に田淵幸一、明治に星野仙一がいた時代、神宮球場に通った。父が創業した管工事会社の「日管」を継ぎ、社長を務める。

「大学で学問はやらなかった。金もうけに興味があった。いい教え子ではないね」と言うが、今も読書好きだ。社長室には読んで欲しい本が谷島屋書店（浜松市）の包装紙付きで並び、来訪者に贈っている。

次回は斎藤の思想や人格、知識の形成を追う。

（２０２０・６・12掲載）

2　英語学校・岩波茂雄との出会い、礎に

塾長の斎藤謙三は、英米文化を中心とした豊かな知識、反権力で平和志向の思想、激しい人格が特徴だった。その背景を探る。

14歳で東京の学校へ

斎藤は１８９０（明治23）年、今の浜松市中区常盤町で生まれた。父は元水戸藩士で、警察で剣道を教え、母は助産婦だった。医者を目指したが、感染症の手術の際、誤って右手親指の第1関節を切断され、断念した。14歳で上京、神田にあった正則英語学校に入学。大きな影響を受ける師に出会った。

同校を創立し、日本で初めて本格的に英文法を研究した斎藤秀三郎である。「斎藤英和」「斎藤和英」と呼ばれる辞書を作った。恐ろしく短気な性格だったが、勉強や努力を惜しまず、学問に対する姿勢に憧れたようだ。余談だが、秀三郎の次男は音楽家の秀雄で、指揮者の小沢征

爾らを育てた。

3年弱の東京時代、岩波書店を創業した岩波茂雄と出会った。岩波は古本屋の店主で、本好きの斎藤は熱心に通い、生涯の友となった。1937年には、地方の私塾経営者にすぎない斎藤が、著名な学者、歌舞伎役者、画家らとともに岩波賞を受賞した。斎藤は岩波の平和志向のリベラリズムに共鳴した。

もう一つの背景にキリスト教がある。20代初め、伝道師になった。キリスト者の集まりは「バンド」と呼ばれたが、「聖隷福祉事業団の源流　浜松バンドの人々」（蝦名賢造著）という本では、聖隷創始者らに思想的影響を与えたものとして、内村鑑三、武者小路実篤、報徳運動とともに斎藤を紹介。「浜松の啓蒙《けいもう》思想家」と表現する。

書見台を使って本を読む斎藤謙三さん

斎藤は20代で浜松市立商業学校（現県立浜松商高）に勤めた。30代初めに勤務した愛知県の豊橋市立高等女学校の時、事件が起きる。学校が火事になり、生徒を避難させたが、天皇陛下の写真を焼いてしまった。「天皇御真影事件」として退職を迫られた。

藩校と受験塾の中間

こうした体験は斎藤に大きな影響を与えたが、激しい性格は生来のものだったようだ。京大文学部を卒業し、茨城キリスト大学長を務めた長男は、追悼本で「激しい性格のゆえに多くの人が離れていった」「幼いころ私が転んでも父は『自分で起きろ！　いいか』といった」「父は家庭で仮面をかぶって生きてきたように思う。赤裸々になることのできなかった父をあわれに思う」と書く。

ただ、塾生の前では家庭内ほど激しいわけではなく、政治的な主張や運動を強要することはなかった。学問

斎藤塾の教室。大教室で生徒は次々と指名された＝浜松市中区

を通じての付き合いという一線は守っていた。

卒塾生は追悼本で次のように書く。ハイデガー研究で著名だった京大名誉教授の辻村公一は「思想は何より啓蒙主義で、政治的には保守主義に反対する進歩主義。一種の社会主義者で、カント的な厳粛な理想主義。豊橋の事件で反権力の激情が渦巻いた。この特殊日本的なものに対する反抗は武士道的な仕方で行われた」と分析する。

弟で東大教授だった社会学者の辻村明は「徳川時代の藩校と戦後の受験塾の中間」と評した。

（２０２０・６・19掲載）

3　「学問へのあこがれ、自然に」

受験塾ではない斎藤塾は、なぜ成立したのか。学んだ人材に何を残したのか。

塾は１９１７（大正６）年に始まったが、昭和初めには定着していた。当時の塾生に日本楽器製造（現ヤマハ）社長になった川上源一がいた。甲南高校（兵庫県）に入学したが、左翼運動で29（昭和４）年に逮捕され、浜松に戻って塾に入った。

川上は「私の履歴書」（日経新聞）で斎藤塾について「先生はつむじ曲がりの変わり者で、世の中を善と悪に分け、気に入らないものはすべて悪人にしてしまう」「ショパンを聴かせてくれたり、古典の解説をしてくれたりした。お陰で人間としての勉強もできた。左翼運動に飛び込む者は正義感が強いとかわいがってくださった」と書く。

有力者の子弟ら入塾

父の嘉市は東大を首席で卒業した秀才で、労働争議で苦境に陥った日楽の社長に請われて就任していた。当時、今のような受験塾はなかったと思われるが、斎藤の識見はすでに浜松で高く評価されていた。有力者は子弟を斎藤塾に入れた。入塾は基本的に人の紹介が必要で、結果的に学力の高い生徒を集め、難関校に送り出すことになった。

山内裕雄（88）は、終戦直後の浜松一中（現浜松北高）時代、３年間通った。東大医学部を卒業して順天堂大付属順天堂医院長を務めた。「学問へのあこがれを自然と抱いた。地方ではなかなか触れられない知識や雰囲気を味わった。斎藤先生は私のメンター。先生がいなかったら、今の私はない」

海に近い旧新津村から通った。文学に興味を持ったが、実家が代々続く開業医だったため、医者になった。「私の成績は浜松一中で中の上くらい。東大医学部は今ほど難しくなかった。医学部卒業生には作家の森鷗外、歌人の斎藤茂吉、評論家の加藤周一、作家の安部公房ら人文系で活躍した人も多い。医学は人を治すから幅広い素養の人材が必要だ。今は開成高（東京都）や灘高（兵庫県）出身の受験秀才が多すぎる」と話す。

山内裕雄・順天堂大名誉教授。医院長時代、本田宗一郎さんや美空ひばりさんをみとった

「自分も信念大切に」

東大法学部から自治官僚を経て浜松市長を務めた北脇保之（68）は、丸塚中1年から浜松北高1年まで通った。高校時代は学年トップ、全国模試でも上位1けたの成績だった。しゃもじでたたかれた記憶はない。学問と生き方の二つで影響を受けたという。

「プラトンやシェークスピアの著書を英語

で学ぶ人が目の前にいた。衝撃だった。ウェルズの『世界史概観』を学んだことが印象深い」

「権力や世間におもねらず、自分にとって大事なことを貫く姿勢に接した。自分も信念や良心を大切に強く生きようと思った」

　最後の塾生となった坂野博史（49）は医者になった兄が通っていた。その縁で斎藤が亡くなる前年の83年、2カ月教わった。蜆塚中1年の時で、本田宗一郎に憧れ、いずれ社長になろうと思った。車が好きで、今は個人事業で車関係の雑貨を販売する。「病気で休講も多く、先生から何かを学んだとは言えない。自立して事業をしていることが成果かな」と笑う。

（2020・6・26掲載）

今は学校法人・浜松海の星学院理事長を務める元浜松市長の北脇保之さん＝いずれも浜松市中区

4　孤立恐れない生き方、尊ぶ教え

斎藤塾が時代を超えて示唆するものは何だろう。

浜松市長だった北脇保之（68）は学校法人浜松海の星学院理事長を務める。「斎藤塾は人格を問う教育で、倫理性を基軸に置いていた。地球成立から現代までの歴史を学び、人間の存在の小ささを感じた。学びには人格の陶《とう》冶《や》や倫理性が必要だと思う」

浜松学院大名誉教授の小栗勝（72）は、八幡中学と浜松北高の6年間通った。経済が好きで一橋大経済学部に進

塾の教材となった英英辞典を手にする小栗勝さん

学。同級生の多くは金融機関に進んだが、製造業の沖電気工業（ＯＫＩ）に就職した。「ずっと東京で暮らすのは大変」と浜松で塾を始めた。大学では経営学を教えた。

「先生は反権威で群れず、いい意味の個人主義だった。結果的に私も独立して生きる道を選んだ。塾の授業では先生のように脱線した。多くのことを教えて将来役に立てばと思った。大学でも同じだった。英語で教育を意味する『エデュケーション』の語源は引き出すこと。押しつけず、個人の才能を開花させたいと思っている」

図書館活動に没頭

浜松市立図書館業務アドバイザーの鈴木正之（81）は、北部中から浜松北高に進学した時、塾に入った。父も学んだ縁があった。塾では「英語は中1レベル」と言われ、中学1年のクラスに入った。静岡大教育学部を卒業し、

斎藤謙三氏の文庫目録を手にする鈴木正之さん

浜松市立中央図書館の碑。元浜松市長の栗原勝さんと斎藤謙三さんが書いた＝いずれも浜松市中区

小中学校教諭を務めた。

「東大や京大を出た人は義務教育の先生には向かない。私のような人間のほうが生徒の気持ちがわかっていい。塾では国際情勢や軍事問題を知った。岩波書店の本を紹介され、自分の世界が広がった」


水窪中（現天竜区）の生徒数は過疎で21人だが、1965年に赴任した時、本校だけで700人いた。校長が「日本一の図書館を目指す」と音頭を取り、図書館活動にのめりこんだ。笠井中では郷土の本作りに取り組み、48歳で図書館指導主事。斎藤の遺族から本の寄贈を受けて「斎藤謙三文庫」を作った。本との関係は一生続く。

「良書は偉大な友である」。市立中央図書館の入り口にこんな碑がある。書いたのは卒塾生で浜松市長を務めた栗原勝。下には斎藤が書いた同じ意味の英語が記されている。本と教師の人格に触発された教育が碑の近くでかつてあり、若者はそれぞれの個性や器に応じて覚醒した。

人文学的な気風も

　これまでの遠州考取材で、浜松城下に漂う異質さを感じている。江戸時代の国学者・賀茂真淵、五輪に賭けた田畑政治や映画監督の木下恵介が生まれ育った。そこに斎藤塾が加わる。通底するのは一種の教養ではないだろうか。

　単に知識が豊富という意味ではない。自由に物事を考え、信念を持って孤立を恐れない生き方を尊ぶ、という意味である。

「やらまいか精神」は今、製造業や起業との関連で語られることが多い。しかし遠州には、浜松城下から発信された人文学的な気風もある。遠州全体の多様性に貢献した歴史を知っておきたい。

（2020・7・3掲載）

国鉄浜松工場の光芒

1　誘致運動、町民１５０人の陳情実る

ＪＲ東海浜松工場（浜松市中区南伊場町）は１９１２（大正元）年、政府の鉄道院工場として発足した。戦後、国鉄を経て民営化された。現在は新幹線の点検・修理（検修）専門で、世界の高速鉄道の最先端である。「光芒《こうぼう》」は細長く伸びた光を意味する。国鉄浜松工場が遠州にもたらした光を考える。

「発展へ強烈な思い」

「国鉄浜松工場の歴史は鉄と人との闘いの歴史である」

工場創設40周年で出版された「四十年のあゆみ」は大げさとも思われる一文で始まる。当時、

鉄道は国策の中心であり、先端技術だった。欧米列強に追いつこうという日本にとって、国の威信をかけた闘いの現場だった。

新橋―横浜間で始まった鉄道建設は06年の鉄道国有法で国策となった。政府は東海道線の検修工場として名古屋と浜松を候補地とした。しかし、名古屋に適地がなく、浜松が浮上。浜松町長だった鶴見信平は誘致運動に乗り出し、湿地帯の買収に動いた。

広さは約１００万平方メートル。価格をめぐって当局と地主で差があったが、町民の寄付でまかなった。現浜松西高近くの三方原台地を削り、埋め立て工事をした。ところが、鉄道院内部で「浜松は再考すべきだ」という方針が出され、工事は中断した。

当時の様子について、浜松の歴史を研究する伊東政好（82）はこう解説する。「明治維新後、浜松県が置かれたが、静岡県に合併した。県庁や医学校が消滅し、浜松は強い危機感を抱い

1909 年、東京・日比谷公園に集まった浜松の陳情団

1915年、創立3周年の記念写真。機関車の宙づりが威圧する＝いずれもＪＲ東海浜松工場100年史から

た。遠州の中心都市として発展させたいという強烈な思いがあった」

浜松町民は動いた。09年2月、１５０人の陳情団で桂太郎首相に直訴することになった。しかし、日露戦争後の恐慌で各地に暴動があり、警察は集団陳情を禁じていた。このため陳情団は東海道線の各駅から分乗。東京の日比谷公園に結集した。警察に阻止されて陳情は代表者に限られたが、工場用地は当初より縮小して建設が決まり、陳情は実った。

国策投資で技術飛躍

浜松の町づくりの原型がここにある。戦前の陸軍、浜松高等工業学校（現静大工学部）、戦後の新幹線駅や浜松医科大を町ぐるみで誘致し、先回りして用地買収することもあった。「やらまいか市政」と言える官民一体の積極性が際立った。

工場は蒸気機関車の修繕工場として始まったが、すぐに転機が訪れた。機械を作る工作機械の自製、国産蒸気機関車（後のC51）の製造に乗り出したのだ。第1次世界大戦で自立を迫られたためだ。国策投資は浜松の技術力の飛躍に大きく貢献した。

「近代日本資本主義史研究」の著書がある静大名誉教授の山本義彦（76）は「当時、浜松の織機産業は草創期だった。最先端の鉄道工場ができ、多くの下請けや職人が育成されていった。後の軍需で機械や資本を蓄積し、戦後のオートバイの隆盛へとつながった。浜松では在来産業に官営工場が加わって自家製の産業革命が起きた。全国でも珍しい例だ」と指摘する。

（2020・7・10掲載）

2　輸送産業発展させた「技術の苗床」

1912（大正元）年に創立された鉄道院浜松工場は、混乱を経ながら国内有数の工場に成長していく。

初代工場長は小林定馬。東京帝大を卒業し長野工場長などを歴任。「開拓者は土地に骨を埋める覚悟がなくては成功しない」と浜松に赴任し、2年5カ月務めた。

昭和初期の工場全景。高さ40メートルの煙突がシンボルだった＝ＪＲ東海浜松工場100年史から

修繕4・2日で世界一に

工員は東京・新橋から710人、沼津から260人、三重・四日市から100人など各地鉄道院工場から寄せ集めた。渡り職人たちは派閥を作る。40周年記念誌には「従業員の気風は悪く、昼休みに酒を飲み、けんか、盗難が連日起こる」と記され、市民のひんしゅくをかった。

時間がたつにつれて福利厚生が充実した。更衣所、浴場、食堂、職員の日用品の購買部門、委嘱医がいる治療所が作られ、一つの町を形成した。少年工のための技能養成制度も整備され、工員の行動も落ち着いた。国策工場とあって日本軍のシベリア出兵に伴って鉄道敷設で浜松工場から27人が派遣された。給料は５倍支給されたが、木工員１人が病死した。

昭和に入って工場の技術は一流になった。修繕は期間の短さを競うが、浜松工場は４・２日という記録を樹立。約２週間で世界一と言われたドイツをはるかに上回った。発明考案で鉄道大臣表彰を受ける人も続出。30年５月には昭和天皇が浜松工場を行幸した。鉄道創業後は初めてとされ、名声が高まった。

巣立った人材が起業

工場から巣立った人材も少なくない。庄田鉄工所（現ＳＨＯＤＡ、本社・浜松市北区）を設立した庄田和作（１８９８～１９７２）もその一人だった。

金沢郊外の村に生まれ、貧しい家庭に育った。京都の鍛冶《かじ》屋で修業した後、鉄道院金沢工場に就職。浜松工場が蒸気機関車の製造を始めることになり、集団転勤で浜松に来た。庄田は社内報に「人口14万の金沢市に比べ浜松はわずか６万。市になったばかり」と町の寂しさを書く。

和作は小さい頃から機械いじりが好きで工場で特許を取った。「成績がよかったようで小遣いはありあまった」という。３年ほどで工場を辞め、独立して会社を設立。当時の客車には木が多く使われており、木工用の工作機械に進出した。同社は戦後、コンピューターによる数値制御の木工機械「ＮＣルータ」で世界的企業になった。

孫で社長の庄田浩士（53）は「祖父は私が5歳の時に亡くなり、優しい印象しかない。技術で人を幸せにするという創業者の精神を引き継ぎたい」と話す。

和作は浜松駅南側の北寺島町に会社を構えたが、一帯には多くの町工場ができた。加藤鉄工所もその一つで、最初の旋盤を本田宗一郎経営のアート商会浜松支店に納めたことでも知られる。

SHODAの庄田浩士社長と創業者で祖父・和作氏の胸像＝浜松市北区

名古屋学院大で浜松産業史を研究した藤田泰正（64）は「農家の次男や三男が浜松工場に勤めた。退職して鉄工所を経営し、技術の苗床となった。技術は軍需で底上げされ、戦後の競争で浜松の輸送産業が発展した。技術の地下水脈として浜松工場の果たした役割は大きい」という。

（2020・7・17掲載）

3　苦難と復興の歴史、働く者がつづる

鉄道院が鉄道省になり、浜松工場は１９４２年から7年余、鉄道省浜松工機部《こうきぶ》に改称された。今でも「工機部」と呼ぶ年配者もいる。戦中と戦後の工場の苦闘を追う。

空襲で壊滅的被害

「遠い日記」という89年刊の自費出版本がある。工機部に勤めていた川合照子が作家早乙女勝元の励ましで書いた戦中戦後の日記である。

照子は親の反対を押し切って43年から工機部で働いた。空襲が激しくなると、「命ある者は出勤せよ」という上司の命令で通った。「ブルンブルン」と飛ぶB29、「ヒルヒルヒルー」と落ちてくる爆弾、「タタターーー」という艦載機からの機銃掃射、空襲警報もなく「ドッスーン」

国鉄浜松工場の周年史

1937 年、浜松工場で最初に製造されたD51。はままつフラワーパークに展示されている＝浜松市西区

と音がした艦砲射撃。焼死体は終戦後の冬になっても残り、「遠州の空っ風が吹き、焼死体にかぶせてある焼トタンがカランカランと吹き飛んで行く」と書く。工場は壊滅し、廃止説も出た。職員が復旧に尽くした結果、存続が決まった。照子も安堵《あんど》する。

戦中、蒸気機関車Ｄ51が69台、浜松で製造された。鉄道省全体では２２８両だが、浜松が最も多かった。ＪＲ山口線の現役Ｄ51は浜松製だ。

戦後復興は急速に進み、昭和天皇が46年６月、激励のため視察。翌年には片山哲首相から鉄道工場として唯一、表彰された。こうした様子は川端康成が編集責任者に名を連ねる小学校６年生の国語教科書（大阪書籍、53年刊）にも取り上げられた。「浜松工場の努力は、歴史的な業績であると言えるであろう。内閣総理大臣は、他の例のない表賞を行った」と書かれている。

49年、日本国有鉄道（国鉄）が発足し、浜松工機部は浜松工場に戻った。ディーゼル化や電化に伴ってあらゆる種類の機関車を扱った。

「浜工文学」編集も

高度成長期になると、東京と下関間を9時間で結ぶ戦時中の弾丸列車計画が再浮上。58年に東海道新幹線の建設が決定した。浜松工場は新幹線の検修工場に名乗りを上げた。59年に国鉄総裁十河信二が浜松工場を訪問すると積極的に働きかけ、「建設的な意見を受け、うれしく思う」と言わせた。62年、全国唯一の新幹線工場となった。

浜松工場が働く者の文化向上に果たした貢献にも触れたい。文学は戦前、大学や旧制高校を卒業した知識層が担っていたが、浜松工場には俳句

初期の新幹線検査風景。０系電車の丸い先頭部分が懐かしい＝1967年５月、現浜松市中区

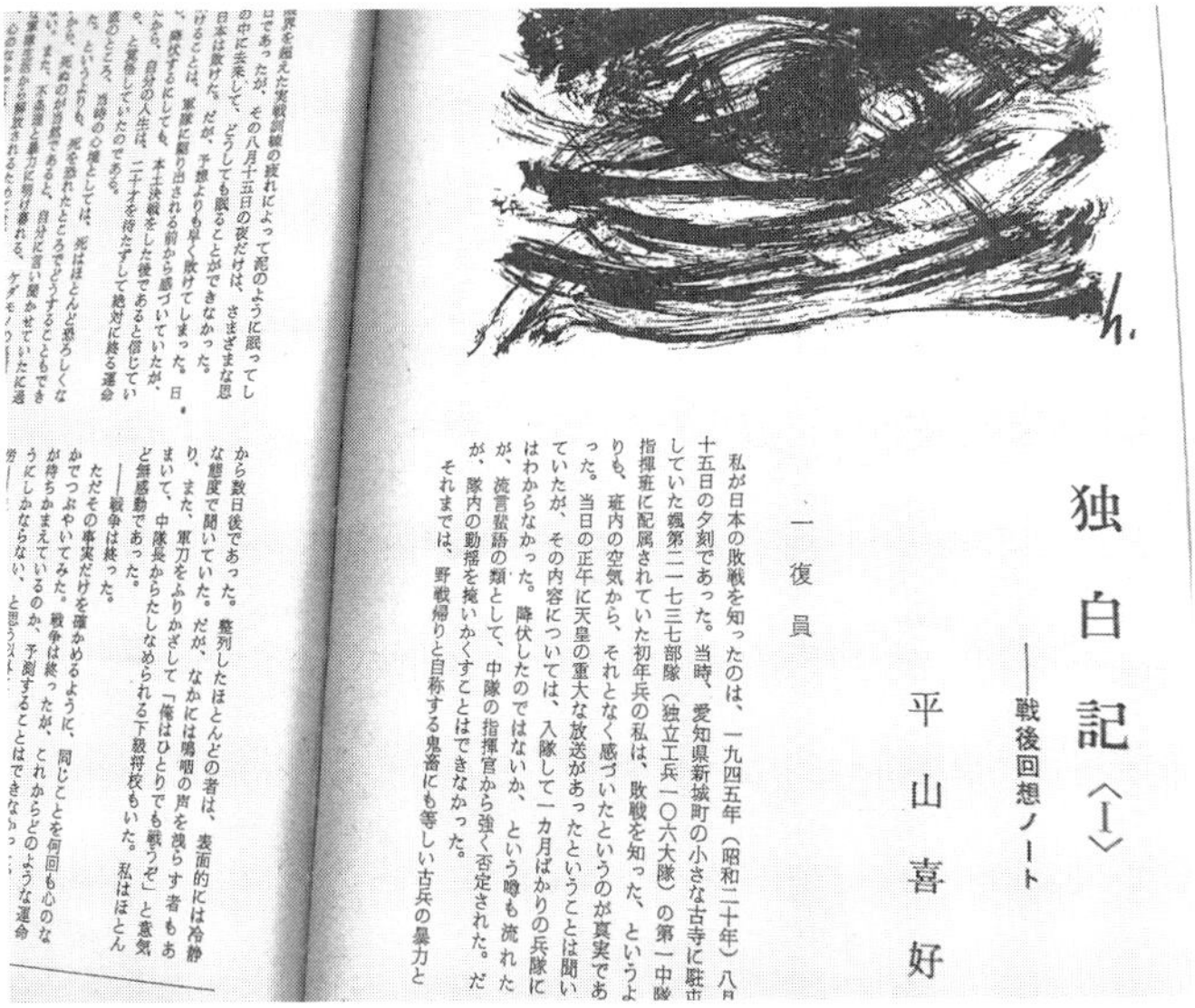

独白記〈I〉

——戦後回想ノート

平山喜好

一　復員

私が日本の敗戦を知ったのは、一九四五年（昭和二十年）八月十五日の夕刻であった。当時、愛知県新城町の小さな古寺に駐屯していた颯第二一七三七部隊（独立工兵一〇六大隊）の第一中隊指揮班に配属されていた初年兵の私は、敗戦を知った、というよりも、班内の空気から、それとなく感づいたというのが真実であった。当日の正午に天皇の重大な放送があったということは聞いていたが、その内容については、入隊して一カ月ばかりの兵隊にはわからなかった。降伏したのではないか、という噂も流れたが、流言蜚語の類として、中隊の指揮官から強く否定された。だが、隊内の動揺を掩いかくすことはできなかった。

それまでは、野戦帰りと自称する鬼畜にも等しい古兵の暴力と

……界を超えた実戦訓練の疲れによって泥のように眠ってし……日であったが、その八月十五日の夜だけは、さまざまな思……の中に去来して、どうしても眠ることができなかった。

日本は敗けた。だが、予想よりも早く敗けてしまった。日……けることは、軍隊に駆り出される前から感づいていたが、……、降伏するにしても、本土決戦をした後であると信じてい……から、自分の人生は、二十才を待たずして絶対に終る運命……、と覚悟していたのである。

……のところ、当時の心境としては、死はほとんど恐ろしくな……た。というよりも、死を恐れたところでどうすることもでき……から、死ぬのが当然であると、自分に言い聞かせていた……

……から数日後であった。整列したほとんどの者は、表面的には冷静な態度で聞いていた。だが、なかには嗚咽の声を洩らす者もあり、また、軍刀をふりかざして「俺はひとりでも戦うぞ」と意気まいて、中隊長からたしなめられる下級将校もいた。私はほとんど無感動であった。

——戦争は終った。

ただその事実だけを確かめるように、同じことを何回も心のなかでつぶやいてみた。戦争は終ったが、これからどのような運命が待ちかまえているのか、予測することはできなかっ……うにしかならない、と思う以……

「浜工文学」に掲載された平山喜好の「独白記」

サークルや文芸部、コーラスクラブが作られた。48年には「浜工文芸」が創刊され、後に「浜工文学」に改称されて80年まで続いた。

担ったのは軍隊生活を経験した平山喜好。「飢餓の苦しみより、個の圧殺、不自由と屈辱の苦しみが耐えがたかった」と振り返る。小説や詩を書き、浜工文学を編集した。工場の40、50、60年史も担当。工場歌「ひかりとともに」を作詞した。事務職員をしながらの活動だった。

浜松市史は「浜工文学は国鉄内外から高い評価を受けた。ひとえに平山の力」と書く。平山と交流があった静大客員教授中西美沙子は「文学を至上と考える典型的な文

学青年だった。働く者が文学を発表する場を長く維持した貢献は大きい」と話す。

（2020・7・31掲載）

4　新幹線は既存技術で生まれた

ＪＲ東海浜松工場は現在、新幹線専門の点検・修理（検修）工場である。新幹線の生みの親と言われる島秀雄（1901～98）は戦前、浜松工場長を経験した。戦後、遠州と高速鉄道を考える。

島は東京帝国大工学部を卒業して鉄道省に入り、蒸気機関車Ｄ51を設計した。1941年8月から翌年1月まで、Ｄ51を製造していた浜松工場長を務めた。日米開戦の時だ。40年史に当時の思い出を書いているが、興味深い。

「浜松赴任を命じられ、新幹線用線路敷の杭が見えるのを楽しみに眺めた」という。島は東京・下関間の弾丸列車計画に関わっていた。当時、線路まで準備していたことがわかる。開戦について「三ケ日駅に着くとラジオニュースを聞いたので、工場へ帰った。すぐにも米軍の爆撃や

生前の島秀雄さん。1994 年 6 月＝東京都品川区

砲弾を覚悟して防空体制に入った」と書く。空襲の本格化はマリアナ諸島が陥落した44年夏以降なので、一般人の軍事常識がうかがえる。

無理なく速く走る

島は戦後、国鉄総裁の十河信二と新幹線を推進した。新幹線は先端技術を集めたと思われがちだが、実際は違う。

島は94年、朝日新聞のインタビューにこう答えている。「新幹線の基本は、大馬力の機関車が列車を引く欧米のやり方をやめて、すべての車輪にモーターをつけ、無理なく、速く走らせたこと。鉄道の最大の弱点である踏切を全部廃止した。先端技術が一般化するのを見極め、自然にやれる範囲でやる。次世代に託す仕事は省エネの電力回生と安全なホームドアの二つ」

新幹線は信頼できる既存技術を組み合わせた。何より安全を重視し、今も事故死者ゼロを続ける。リニアモーターカーについては「研究は大いにやったらいい。でもね、列車のスピード競争はもういいかげんにして、わきを固めたらどうか。日本は狭いし、空路もある」と慎重だった。

国鉄は87年に民営化された。浜松工場ではストがあり、１１７人が希望退職。ヤマハ発動機などに派遣され、「企業人のあり方を学んだ」という意見発表も行われた。

「役割考える必要」

浜松工場は２０１７年、生まれ変わった。車両の動線を単純化し検査日数を1日減らして14日にした。20年６月まで工場長だった小俣裕一は新幹線開業の64年10月生まれの55歳。東京都出身で、新幹線一筋。勤務地を比べて「東京と大阪は寄せ集まりなので言葉でしっかり説明しないといけない。三島はおおらか。浜松はまとまりがよく何でもやろうという気風。単身赴任の環境では一番だった」と話す。

最大課題として「世界のフロントランナーを支える人作り」をあげる。リニア中央新幹線の車両基地は岐阜・中津川にできる予定なので、「将来は浜松工場の役割を考える必要がある」という。

浜松工場にある昭和天皇の行幸記念碑と 2020 年 6 月まで工場長だった小俣裕一氏＝浜松市中区南伊場町

ドクターイエローの検査風景＝浜松市中区南伊場町

そう、リニア開通は静岡県や遠州にとって歴史的事態なのである。東海道が史上初めて「裏街道」になるからだ。首都圏の埼京線は東北新幹線の騒音に対して地元が要求した代償だった。静岡空港と直結する新幹線駅を新設し将来のインバウンド拠点とする――そんな構想を掲げる政治闘争があってもいいだろう。

（２０２０・８・７掲載）

５　誘致時の行政の熱、今いずこ

国鉄浜松工場は明治末、市制施行を控えた浜松町が、東京に大陳情団を派遣して誘致した。工場は技術の苗床となり、戦後の製造業の飛躍につながった。官民一体で町づくりに全力を挙げる「やらまいか行政」は伝統だった。過去の行政と現在を考える。

　１９８７年、地元民放が「医大はなぜ浜松に作られたか」という番組を放映した。医大誘致は浜松市と静岡市が激しく争った。首相の田中角栄が東京・目白の私邸か

浜松市が熱心に誘致した浜松医大＝浜松市東区

ら文部大臣に3回電話をして浜松に決めた内幕を証言で伝える。「やらまいかの浜松、やめまいかの静岡」と浜松の準備周到さを強調する。

町の将来見据えて

当時の浜松市長は平山博三（1906〜90）。県庁を経て浜松市助役になり、市長を59年から20年間務めた。医大誘致前、静岡大教育学部浜松分校の廃止、県立女子大の設置で静岡市に敗れ、医大に執念を燃やした。県に陳情し、土地も用意した。平山は番組で「（静岡市に）二つ持って行かれた。この野郎、思い知らせてやるぞという気持ちだった」と激しい言葉で語る。

平山博三・元浜松市長の自宅には胸像が建ち、業績を紹介する博物館もある＝浜松市北区引佐町栃窪

　市長が先頭に立って町の将来像を描き、土地を買って誘致するスタイルは浜松工場以来だ。平山の後継者は部下だった栗原勝（1924〜2013）で、79年から20年

間務めた。２人で40年間市政を推進した。

国道1号バイパスの建設では、静岡市で用地買収が遅れたが、浜松市は開発の遅れた海沿いを一気に買収。東海道新幹線の駅は、旧可美村付近の計画だったが、陳情で北上させて今の場所にした。東海道線高架も心血を注ぎ、主要道路の骨格は当時の計画だ。栗原はテクノポリスやアクトシティを進めた。

２人の市長時代に企画部門に在籍し、企画部長も務めた河内道守（84）は「浜松を全国に誇れる町にしたい、静岡市に負けたくないという気持ちが強かった。市長も職員も体を張り、用地も先行買収した。市長は日曜日に自治会の会合に出て不満を聞いてくる。月曜日の会議は緊張感があった」と振り返る。

消えた大丸の進出

今はどうだろう。市政は２００５年、スズキ会長の鈴木修をトップとする行財政改革推進審議会の設立で変質した。07年に鈴木の支援を受けた現市長・鈴木康友が誕生すると、スズキ風の効率化一辺倒の市政になった。鈴木康友は「鈴木会長は希代の名経営者。私は健全財政で持続可能な町、ベンチャー育成で産業活性化を推進している」という。

町づくりの懸案に百貨店「松菱」の跡地問題がある。官民で活用策を模索し百貨店大丸の進出話もあったが、09年に消えた。当時の朝日新聞記者は、市は「うまくいっている間は積極的にかかわるが、風向きが悪くなると責任をあいまいにする」と論評した。市は今も「土地を所有する民間の問題」と突き放す。

河内は「昔なら市がもっと熱意を持って関与した。市が買い取って活用策を考え、売るなり、貸すなり、やり方は色々ある」と指摘する。

鈴木康友は骨太で力業を求められるまちづくりには及び腰で、過去の市政のような歴史に残る業績はない。市政にかつての熱気はなく、「やめまいか市政」というほかない。

（2020・8・14掲載）

2014年、解体前の松菱。左奥にアクトシティのタワーが見える＝浜松市中区

森町の孤高

1　独自の世界観、築き上げた小京都

森町は平野と山の境に位置する。遠州唯一の「町」である。平成の大合併を拒否し、掲げる看板は「遠州の小京都」。自然や歴史に特徴があり、独自の風土を形成する。その孤高を考える。

「遠州の中心は浜松で、中心軸は東西を貫く東海道」。これが現代の遠州に関する一般的な認識だろう。しかし森には「森史観」といえそうな独特の世界観がある。「浜松は戦国時代の徳川家康に始まる新興の町」が基本だ。

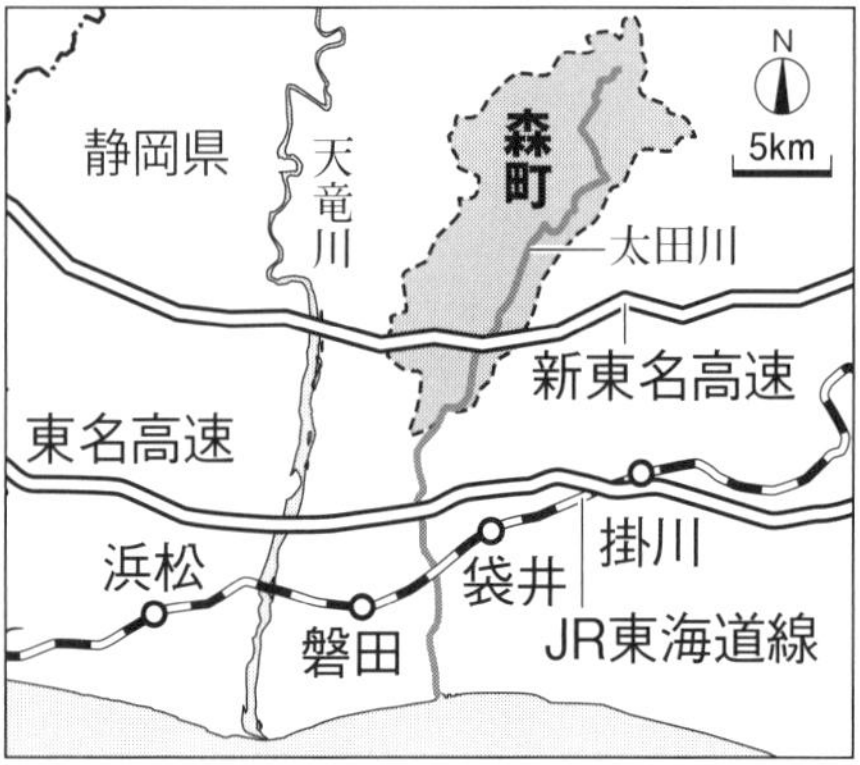

歴代町長の肖像画を背にした森町の太田康雄町長。父も町長で、中央の肖像画が父＝役場町長室

「遠江」の名は一般的に都から遠い浜名湖に由来するとされるが、森では磐田にあった大《おお》之浦《のうら》説が有力。奈良時代、磐田に国府・国分寺が置かれ、至近な森に創建された小国神社が一宮となり都とつながった。寺社が密教の曼茶羅《まんだら》思想で配置され、塩の道が信州に通じる。東西軸は今より北にあり森に近い。貫通する太田川流域は天竜川より洪水が少なく肥《ひ》沃《よく》で、森は遠州の宗教、文化、経済の中心。海や山の産品で市が立ち、秋葉山参りでにぎわう都市に発展。舞楽、俳諧、祭り、茶、和菓子、焼き物が残る……。

住民投票で合併反対

森町では２００４年、袋井市、浅羽町との合併の是非を問う住民投票があった。合併寸前だったが、市の名称が「袋井市か遠州市か」でもめた。結果は７２０４票対５６８３票で合併反対が上回った。袋井市ペースの合併を住民が拒否したのだ。

町長の太田康雄（61）は「合併しなくて良かった。森町の名前が残り、自分たちでやりたいことをやれる。数値化できないメリットがある。当時は財政が破綻《はたん》するという試算もあったが、歳出削減をして何とかやってきた。合併反対の底流には森町への愛着や誇りがあった」と話す。

太田川にかかる森川橋たもとに「森町《もりまち》之《の》賦《ふ》」の碑がある。１９２３年に森町を訪れた地理学者の志賀重昂《しげたか》が、三方の山、太田川、町並み、三味線やおはやしに心を打たれ、「まさに小京都」とたたえた。その詩を刻んだ碑だ。

２０１２年、森町は全国京都会議に加盟した。京都に似た自然と景観、京都との歴史的つながり、伝

太田川沿いにある小京都の碑（右）。秋葉神社へ案内する碑も立つ

小国神社の舞楽＝いずれも森町

統的産業と芸能という3条件のうち一つ以上に合致していればよく、41市町が参加している。森町は3条件を満たす珍しい自治体だ。

古い形守る森の舞楽

京都とのつながりを代表するのが、3神社で続く国の重要無形民俗文化財「遠江森町の舞楽」である。4月に小国神社と天宮神社で行われ、同じ12演目で一対をなす。前者は赤が基調の装束を着た中国系の「左方舞《さほうまい》」、後者は青が基調で朝鮮系の「右方舞《うほうまい》」と呼ばれる。ともに1千年以上続く。7月には山名神社であり、京都祇園祭が源流の8演目。カマキリの「蟷螂《とうろう》」の舞が特徴で、蟷螂山は京都の山ほこにもある。

役場で長く文化財担当だった北島恵介（61）

は「舞楽は舞、音楽、装束を担う力が必要で、継続のカギは経済力だろう。長い間に文化が育まれ、多分野に波及した」とみる。最近の研究で全国の舞楽の中でも古い形を守っていることがわかってきた。森の町並みはさびれ小京都の面影は乏しいが、蓄積された地力は並大抵ではない。

（２０２０・９・４掲載）

2　インテリとがらっぱちの気質

「インテリとがらっぱちの共存」。森町の気質についてこんな言葉を聞いた。インテリは歴史と文化の風土から、がらっぱちは「けんか祭り」の異名がある激しい「森のまつり」からだろうか。森出身の著名人を通じて考える。

写実を極め異次元へ

現代美術家の松井冬子（46）は２０１２年、朝日新聞「ｂｅ」のフロントランナーに登場した。幽霊画、蛇が絡みつく骸骨、内臓を見せつけて笑う女……絵はどれも怪しげだ。松井の美

東京・新宿瑠璃光院に納めた作品「生々流転」の前に座る松井冬子さん。「新境地を開いた」とされる＝2018年、東京都新宿区

しい容姿との不整合も関心を呼ぶ。

　森のまつりの舞台となる三島神社近くで育った。江戸時代、領主だった土屋家の地代官を務め、家には掛け軸やふすま絵がたくさんあった。

　母の蕗子（74）は「森の自然と祭りが大好きで、元気のいい子どもだった。森小にあったモナリザの絵を見て画家を志した。だったら東京芸術大に行けばと勧めた。画風は本人の性格からというより、考え出した結果」という。

　祭りの名物でもある「舞児還《まいこがえ》し」に選ばれ、屋台の先頭に乗った。東京芸大には6回目の受験で合格し、日本画では女性初の博士号を取得。絹の上に描く手法で、緻密《ちみつ》さと集中力と体力が評価される。写実を極めて異次元の世界に到達する。「考え抜かれたインテリとがらっぱちの無限の連鎖」と思えてくる。

書道家の杭迫柏樹《くいせこはくじゅ》（86）は古い商家・山中家の13代目に生まれた。8代目は江戸時代に「遠淡海《とおとうみ》地誌」を書いた文人の山中豊平。子どもの頃から書が好きだった柏樹は「お前は豊平の生まれ変わりだ」と言われて書に励んだ。

自分で書いた屋台の書を背にする杭迫柏樹さん＝2011年、森町

今は京都に住む。「打てば快音を発し、切れば水のしたたる書」を目指し、中国の古典に学ぶが、祭り好きでもある。11年には地元屋台の正面に掛ける「御簾《みす》」の字を書いた。祭りに京都から芸妓《げいぎ》を連れてきたこともある。今年はユニクロのTシャツに書道アートとして採用された。

「宇宙人」になり解明

地球惑星物理学の松井孝典（74）は東京で育ったが、母の実家がある森町で生まれた。夏休みや冬休みは森で過ごし、近くの子と太田川で泳いだり魚を釣ったりした。「原点は遠州森町」という。

東大時代、首相だった中曽根康弘の懇談会に参加するなど学外での活動が目立ち、反発を買った。40代後半まで助手のままだったが、「自分の人生は好きなことに使えればいい」と割り切った。千葉工業大惑星探査研究センター所長などを務め「宇宙の生命を解明するため『宇宙人』になる必要がある」と壮大だ。6月に同大学長に就任した。

袋井に近い旧飯田村で生まれた作家の村松梢風（１８８９～１９６１）は、破天荒な人生を送った。侠客《きょうかく》の本をまとめ、「森の石松」の話も書いた。石松は三河出身だが、梢風と浪曲師が「森の石松」に作り替えてしまった。森をブランド化したといわれる。孫で直木賞作家の村松友視（80）は、梢風と愛人の暮らしをつづった自伝的小説「鎌

村松友視さん

倉のおばさん」を書いた。

個性的で正統派とは言いがたい人たち。インテリとがらっぱちが混在し一筋縄ではいかない。「森の孤高の人たち」と呼びたい。

（２０２０・９・11掲載）

３　近代の起業家生んだ報徳運動

森町は二宮尊徳の思想を実践する報徳運動の町だった。近代日本産業の先駆者といわれる鈴木藤三郎（１８５５～１９１３）ら起業家を生んだ。森と報徳を考える。

遠州に報徳をもたらしたのは、今の神奈川県秦野市出身の安居院庄七（１７８９～１８６３）。浜松から磐田、掛川に広がり、森にも報徳社ができた。安居院の死後、新たな指導者を求め、尊徳が生まれた小田原から福山滝助（１８１７～93）が派遣された。最初、掛川の中心人物だった岡田佐平治に会うが、意見が合わない。岡田は福山に森の有力者を紹介した。

「日本のデンマーク」

報徳運動は現在、掛川が拠点である。しかし明治時代、報徳には掛川・岡田と森・福山の二つの流れがあった。前者は行政権力に近く幅広い生活改善を志向したのに対し、後者は民衆寄りで資金貸し付け中心だった。最終的に岡田一族の指導力と時流に乗った掛川が主流となり、政治家や地域活動家が輩出した。森は起業家を生み、影響は旧浜北市、旧引佐郡、三河地方に及んだ。「日本のデンマーク」と呼ばれた愛知・安城の農業教育にも貢献した。

鈴木藤三郎は森の古着商の家に生まれ、5歳で菓子商の養子になった。菓子商に満足せず、森の特産品で横浜から輸出されていたお茶の貿易で一獲千金を狙った。裕福

周智高校跡地に立つ鈴木藤三郎の胸像（左）。向こう側は共同創設者で支援者の福川泉吾。通産事務次官や東洋大理事長を務めた福川伸次氏は一族＝森町森

ではなく、金が欲しかった。

20歳の正月、森に帰ってたまたま尊徳の本を読んだ。「経済と道徳の融合」や「社会貢献で利益を得る大切さ」が説かれていた。藤三郎は報徳思想に興味を持ち、報徳社の会合に出た。偉人への道を開く「覚醒」である。

氷砂糖の国産実現

製茶貿易をやめ、菓子の製造販売に専念する。経営計画を立て、着実に利益を上げ、氷砂糖の国産化を目指した。失敗が続いたが、尊徳の法事で泊まった宇都宮の旅館で「砂糖は純粋になれば自然に結晶する」という学生の会話を偶然聞いた。これをヒントに試行錯誤を重ね、何とか製造にこぎつけた。28歳で森に工場を建設、５年後に今の東京都江東区に工場を作った。1年間の欧米視察にも出た。

飛躍したのは日清戦争で領有した台湾への進出である。蔵相・井上馨や台湾総督・児玉源太郎、三井財閥の支援を受けて１９００年、台湾製糖を設立。後藤新平や新渡戸稲造ら著名な人物も関わった。藤三郎は初代社長として成功し、名声が高まった。

鉄工、製塩、水産など幅広い産業も手がけた。地元では周智農林学校（現遠江総合高校）を

鈴木藤三郎の死後 100 年の 2013 年、森町の訪問団が旧台湾製糖工場を訪れた。中央の観音像は藤三郎が建てた＝台湾・高雄市

設立。晩年はしょうゆ醸造に着手したが、有害性が指摘されるサッカリン混入で倒産し、志半ばで倒れた。「産業革命の父」と呼ばれる生涯だった。

台湾製糖は戦後、台湾糖業となり、今でも台湾有数の大企業である。藤三郎の作った最初の工場は博物館になり、観光スポットでもある。

役場ＯＢで郷土史家の村松達雄（61）は台湾を4回訪問した。「藤三郎は１５９の特許を取得した発明家だった。報徳の教えに従い、独学で道を切り開いた。藤三郎をめぐる研究をさらに進め、顕彰したい」と話す。

（２０２０・９・18掲載）

4　お茶や治郎柿、町支えてきた産業

「遠州の小京都」といわれる森町を支えてきたのは、産業の力、経済力である。森町の未来を考える。

江戸時代、森の主力産業はお茶だった。駿河と遠州の茶は「安倍茶」の名で取引された。幕末に横浜が開港すると輸出用に売り込んだ。森の茶商は東海や関東で商売をしたが、その際に古着を集めて転売し、古着の町にもなった。今も残る蔵はその繁栄の名残だ。伊豆天城から伝わったシイタケも生業となった。

知名度高めた仕掛け

昭和初期、森の茶の知名度を一気に高めるできごとがあった。浪曲師広沢虎造が「清水次郎長伝」で森の石松と茶を結びつけた。「旅行けば……遠州森町よい茶の出どこ……江戸っ子だってねえ」の名調子。仕掛けたのは森町茶業青年団の若手。有名人を起用したＣＭの走りといえ

森山焼の松井晴山さん

る。

茶商の島商店社長・島謙造（65）は仕掛け人の孫。ペットボトルの茶に対抗し、「急須を使ってお茶を飲む森独自の売り込みをしている。健康的で格好いいというブランドを確立したい」と話す。

茶関連の特産品も多い。小堀遠州ゆかりの志戸呂焼（旧金谷町）の流れをくむ森山焼があり、茶器を作る。晴山《せいざん》陶房の松井晴山（88）は「森と金谷の土が似ていて明治末に始まった。死ぬまで焼くよ」。和菓子の老舗も多い。

皇室に１００年以上献上している治郎柿もある。江戸末期、農家の松本治郎が太田川の河原で見つけ

治郎柿の原木

て自宅に植えたのが始まり。１９０８年、明治天皇が静岡に泊まった時に口にして気に入った。献上はそれ以来続く。ＪＡで柿部会長を長く務めた大場篤（79）はＮＴＴ退職後に栽培に取り組んだ。「森は日照、土壌、昼夜の寒暖差で柿生産の適地。90軒以上の生産者がいる。味は他に負けない」

トウモロコシに脚光

最近脚光を浴びているのが「甘々娘《かんかんむすめ》」の名で知られるトウモロコシだ。甘さが売りで生でも食べられる。産地直販で、６月前後のシーズンには太田川沿いの直売所に朝早くから大勢の人が並ぶ。関東や関西など遠来の客も多い。

水田を使ったコメ、レタスとの三毛作で、農業専門家の間で評価が高い。区画整理や排水施設の整備に50年以上取り組んだ。品種や栽培の改良で試行錯誤を続け、成功した。収入が増え、後継者難の悩みは少ない。

自宅前の治郎柿畑に立つ大場篤さん

最大手は株式会社の遠州森鈴木農園。売上高2億円、正社員13人、ベトナムで面接して採用した技能実習生も5人いる。鈴木弥社長（45）は「新品種を作って『森のとうもろこし』の名でブランド化を計画中だ。お客さんに小京都観光を楽しんでもらう流れも作りたい」と意気込む。

一面に広がるトウモロコシを背にする鈴木農園の鈴木弥社長＝いずれも森町

最後に小京都の未来を考えたい。人口比の地域資源は遠州一だろう。しかし、町並みはすたれ、寺社も小国神社以外はわびしい。京都のようにおしゃれな風情も乏しい。

ただ、小京都を宣言してまだ8年に過ぎない。甘々娘は長い年月をかけて成功した。多くの人に小京都と呼んでもらうには息の長い戦略と投資が必要だろう。孤高の真価が問われている。

（2020・9・25掲載）

佐吉と湖西

１　検定や発明教室、精神つなぐ地元

豊田佐吉氏

　豊田佐吉は幕末１８６７（慶応３）年、現湖西市で生まれた。亡くなったのは１９３０（昭和５）年、63歳だった。「発明王」「トヨタグループ創始者」と形容され、日本を代表する偉人である。佐吉と湖西の因果を考える。

　２０１８年１月、首相の安倍晋三は施政方針演説で３人の偉人を取り上げた。戊辰戦争時、賊軍の白虎隊の一員で、後に東京帝国大総長に

登用された山川健次郎。そして遠州の金原明善と豊田佐吉。佐吉は「愛知に生まれた小規模事業者」と紹介された。

エピソードを発掘

湖西の「佐吉翁に学ぶ会」会長・村松隼次（81）は憤る。「湖西出身という事実が認知されていない。川勝平太知事が湖西に来る機会があったので、訴えた。知事も内閣に電話すると怒っていた」。佐吉は愛知で起業したので、首相は起業の地を紹介した可能性もあるが、地元が不満を持つのは当然だろう。

学ぶ会は2017年の佐吉生誕150周年をきっかけにできた。活動の柱は「佐吉検定」。3級からあり、「佐吉の愛読書となったスマイルズが書いた本は」といった問題が出る。去年

自ら文章を書いた「佐吉の日めくり」を手にする「佐吉翁に学ぶ会」の村松隼次さん＝湖西市梅田

は記述式の1級ができた。今年は論文式の博士級を実施する予定だったが、コロナ禍で延期した。村松は「佐吉のエピソードはまだ湖西に残っているので、発掘できる。地元の関心を高め、佐吉のあきらめない精神に学びたい」という。

長い歴史を持つのが「湖西少年少女発明クラブ」だ。設立は１９７６年。月２回程度、小学生向けの発明教室を開いている。開講式は佐吉の生家で開き、発明展や絵画展がある。佐吉命日の10月30日は、トヨタ自動車社長・豊田章男らグループ幹部や湖西市長が参加し、佐吉顕彰祭と発明クラブの表彰式がある。

子どもに第3の道

会長の中村哲也（63）は「勉強、スポーツに次ぐ発明という第3の道を子どもたちに提供したい。有名な卒業生はまだいないが、いずれノーベル賞を」と意気込む。講師にはトヨタ系企業の社員も加わる。今年は専用会場を確保し、初めて１００人を超える小学生を集めた。

中村自身も発明企業のトップである。父が創業した羽立工業社長。バドミントンの羽根を出発点にスポーツ、健康用品を次々に開発する。「10のうち8は失敗。それが発明の道」という。

ところで佐吉はなぜ愛知県で事業を展開したのだろうか。遠州で起業していれば、遠州の歴史は大きく変わったと思われる。地元には諸説ある。湖西には工場を作る平地が乏しかった、佐吉は地元で借金を重ねたので歓迎されなかった……。

湖西と浜松の薄いつながりが最大の理由ではないかと思う。湖西は江戸時代、豊橋が拠点の吉田藩だった。浜松へは新居の関所と浜名湖を渡る船が立ちはだかった。浜名湖に木橋が架かったのは佐吉14歳の1881年。本格的な橋はその約50年後だ。佐吉の親戚や知人は湖西か三河で、浜松には少なかった。

佐吉の名は広く知られているが、細かな業績や生涯を知る人は多くない。次回は佐吉の一生をたどる。

（2020・10・2掲載）

アイデアを生かした自社のスポーツ用品と発明クラブの中村哲也会長＝湖西市新所の羽立工業

生家近くの豊田佐吉記念館に立つ佐吉の胸像

2　織機で発明王の道へ、挫折が教訓に

豊田佐吉は著名だが、業績や生涯に詳しい人は多くない。織機という、今ではなじみの薄い分野で成功したことが一因だろう。佐吉は織機を人力機、動力機、自動織機へと発展させた。それぞれを覚醒期、発展期、展開期に分け、佐吉の生涯をみる。

まず出生から人力機を作るまでの覚醒期（1867～90）。生まれた山口村は土地が少なく湖西でも貧しい場所だった。記念館が整備されているが、山の谷間にある。

覚醒のきっかけは啓蒙《けいもう》家・中村正直訳「西国

立志編」との出会いだ。英国人スマイルズが書いた欧米人の成功物語で、佐吉に強烈な向上心を生んだ。中村は駿府藩藩校の静岡学問所の教授。父の実家があった伊東市に碑が立つ静岡ゆかりの人物である。佐吉は近くの観音堂の夜学会で学んだ。当時、専売特許条例で権利が保護された「発明」にかける決意をした。

夢中になると、遠州人らしく猪突《ちょとつ》猛進、一心不乱となる。県外の知人を頼って研究。90年、織機はそれまで両手を使ったが、片手で動かせる人力機（木製）を発明。特許申請し、発明王への一歩を踏み出した。

佐吉が「西国立志編」を学んだ観音堂。生家のすぐ近くにある

日露後の業績不振で

続いて動力機を開発した発展期（90～1910）に移る。相変わらず各地を転々とし、エンジンや電気で動かす動力機の研究と金策に没

佐吉の生家＝いずれも湖西市山口

頭。98年、木と鉄でできた動力機の特許を取得。三井物産と合弁会社を作って全国ブランドに飛躍した。これが評判となり、大隈重信や井上馨ら明治政府の重鎮が来訪した。１９０７年、大阪の紡績会社も出資して豊田式織機を設立。そこで挫折を経験する。

「会社の業績が上がらないのは発明や試験に気を奪われるからだ。豊田君、気の毒だが辞職して欲しい」。日露戦争後の業績不振で役員間の反目が激しくなり、大阪の紡績会社出身の社長が佐吉をやり玉に挙げた。常務の佐吉は失意のうちに辞表を出した。

佐吉は発明で多くの失敗をしたが、この挫折は「一生の痛恨事」と語る。心の傷と今のトヨタ自動車の経営につながる貴重な教訓を残した。

続く自動織機（Ｇ型）と展開期（１９１０〜26）。織機は縦糸と横糸を織るが、糸が切れると機械を止めなければならない。自動織機は糸が切れても自動的に修復でき、生産量が飛躍的に上昇する。

経営と技術の両立

解任された佐吉は心機一転、渡米する。ニューヨークで訪問したのが、消化酵素剤のタカジアスターゼを開発して著名だった高峰譲吉。「発明した人が最後まで面倒をみる責任がある」と助言され、発明と経営の両立を胸に刻む。26年に豊田自動織機製作所を設立。経営陣は豊田一族と信頼できる番頭で固めた。

死去直前の29年、特許を英プラット社に売却。特許料を自動車参入の資金にあてた。経営と技術の両立、一族中心の経営は今も続くトヨタ自動車の基軸である。

佐吉の長男喜一郎、孫章一郎、ひ孫章男は社長に就任した。佐吉の弟平吉の次男英二も社長を務め、中興の祖とされる。いずれも湖西にルーツを持つ人たちである。

（２０２０・10・９掲載）

3　「野史」が伝える、等身大の素顔

「野史《やし》」という言葉がある。正式の歴史である「正史」に対する言葉で、在野で作られた歴史という意味だ。トヨタ自動車には周年史や佐吉伝といった正史があるが、学者や郷土史家、記者らによる多くの野史もある。

湖西市の妙立寺にある豊田佐吉の墓。目立たず質素だ＝湖西市吉美

佐吉が国民的に著名になったきっかけは、１９３７年から国定教科書に登場したことだ。教材を書いたのは佐吉の出身地である鷲津小学校の校長だった。

その4年前、評論家の徳富蘇峰が浜名湖を訪れた際、案内した気賀小校長が鷲津小校長に話しかけた。「息子の就職で名古屋に行ったら佐吉という人を知り、偉い人だと驚いた。

鷲津出身だそうだ。教科書の教材を懸賞文として募集しているから、地元の校長として応募したらどうか」。作品は見事当選し、元日も忘れて研究に打ち込む発明王が脚光を浴びた。

「変人」「借金王」

佐吉は地元では「変人」「借金王」としても名を残す。研究に没頭し、周囲を顧みない。研究のための資金を手当たり次第に借りる。「返済されなかった借金の証文が多くあった」という話が地元には残る。

大番頭で、トヨタ自動車工業社長も務めた石田退三は66年、鷲津小での講演で借金王ぶりをこう語る。石田が別の会社にいた頃、「えたいの知れない異様な人物が入ってきた。うちの社長におじぎもしない。『お金ですかい』と聞くと『そうですな』とぶっきらぼうにいう」。

地元で佐吉の墓があるのは日蓮宗妙立寺。墓は質素。すぐ近くに佐原たみという女性の墓もある。離婚した人で、正史には書かれない。

佐吉は１８９３年、近くのたみと結婚した。発明にのめり込み、家庭を気にかけず、長く家を空けることも多かった。翌年６月、長男喜一郎が生まれたが、たみは幼子を残して実家に帰り、離婚。その後、横浜や神戸の外国人住宅で働いたという。

2人の妻と長男

佐吉は97年、やはり湖西の林浅子と再婚した。浅子は喜一郎を育て、事業も切り盛りした。佐吉は喜一郎の進学に消極的だったが、浅子は旧制二高、東京帝大工学部に進学させた。喜一郎はその後、自動車事業への参入を決断、飛躍の立役者になった。

「佐吉翁ゆかりの寺子屋妙源寺」という団体がある。寺には佐吉が幼少期に通った寺子屋があった。団体は1993年の本堂新築をきっかけにできた。代表の小池力（67）は「佐吉の素顔をもっと知り、顕彰したい」と話す。

大事をなすのは常人ではない。成功すれば偉人、失敗すれば変人。等身大の偉人を知ることは歴史を身近に感じることにつながるだろう。

白須賀に喜一郎の名が刻まれた碑がある。終

豊田家が作製したという佐吉の胸像を持つ小池力さん＝湖西市坊瀬の妙源寺

戦直後の47年に完成した用水開発への協力者を顕彰している。一族の名が刻まれている地元の農業男性(55)は「先祖が喜一郎さんと親しかった。喜一郎さんは戦前、湖西にエンジン工場を造る予定だったと我が家では伝わっている」と話す。工場ができていれば遠州の様相は違っていたはずだ。湖西には野史の材料がまだ残っている。(2020・10・16掲載)

豊田喜一郎らの協力を記す石碑
＝湖西市白須賀

豊田喜一郎が協力してできた用水。水が勢いよく流れ出ている。
昭和22年頃＝湖西市白須賀

4　トヨタに息づく報徳の教え

豊田佐吉は二宮尊徳の報徳思想の実践者である。トヨタ自動車の経営にも引き継がれている。報徳思想は「経済と道徳の融合」を掲げ、全国の運動の拠点は掛川市を中心とした遠州。最終回はトヨタと報徳経営を考える。

経済と道徳の融合

佐吉の死後2年余で出版された正式の伝記「豊田佐吉傳」は、「豊田佐吉翁の思想的背景は、日蓮主義と報徳宗である」の一文で始まる。佐吉は日蓮宗の門徒で、勇猛心や豪放闊達《かったつ》な精神を与えられた。報徳思想の「至誠、勤労、分度、推譲」を基礎にして、世のため人のための思いを実践した、と書く。

報徳思想は江戸時代末期、浜松にもたらされ、農村振興を主眼に遠州一円へと広まった。佐吉の生まれた湖西の山口では、豊田本家の吾吉や分家で佐吉の父伊吉を中心にして山口報徳社が結成された。佐吉は「西国立志編」を読んで覚醒したが、学びの場となった観音堂の夜学会は山口報徳社の下部組織だった。

豊田本家の豊田博進さん。豊田章一郎氏の書いた本に自分が登場するページを開いている＝湖西市山口

「至誠業務に服し、産業報国の実を挙《あ》ぐべし……華美を戒め、質実剛健たるべし……報恩感謝の生活を為《な》すべし」。１９３５年に発表された豊田綱領は報徳経営の象徴とされる。佐吉の長男で自動車参入を決断した喜一郎を中心に作られた。

喜一郎は50年に完成した浜松報徳館の建設委員に名を連ね、山口報徳社が1千円を寄付していることが最近わかった。西遠連合報徳社社長を務めた中村雄次(90)は「喜一郎さんと報徳の直接の関係が確認できた。グローバル企業になった今も報徳精神を実践していることは大変意義深い」と話す。湖西に3社あった報徳社は古見報徳社だけが残る。長期保有のトヨタ株の配当益で運営している。

豊田綱領は「原点」

報徳経営とは何だろう。経済思想は企業と公共の利益の間を振り子のように揺れる。「経済と道徳の融合」を図る報徳経営はその中庸を目指す。社会や自然との関係を長期的視点で考え、従業員のやる気や雇用を重視する。その結果として確実な利益を上げる経営といえる。コロナ禍で社会のあり方が問われる今、注目が高まっている。

大日本報徳社（掛川市）社長の鷲山恭彦は今年、機関誌「報徳」新年号で、伊那食品工業（長野県伊那市）前会長の塚越寛と対談した。同社には「遠きをはかる者は富み」という尊徳の言葉を刻んだ碑が建つ。トヨタ社長の豊田章男は塚越を「経営の師」と仰ぐ。

塚越は「自分だけよければいいという考え方は乳飲み子と同じ本能的な行動です。成長や利益より、人の幸せや安心して暮らせる社会の方が大事です」と言う。鷲山は「人間賛歌の経営の神髄を伺いました」と応じた。

章男は毎年10月30日、佐吉の命日に湖西で開かれる顕彰祭に出席する。昨年、「豊田綱領は戻るべき原点。時代が変化しても大切にしたい」と記者団に話した。本家吾吉の孫にあたる博進（95）は「トヨタは今も報徳の教えを守っている。本当にいいことだ」と喜んでいる。

（2020・10・23掲載）

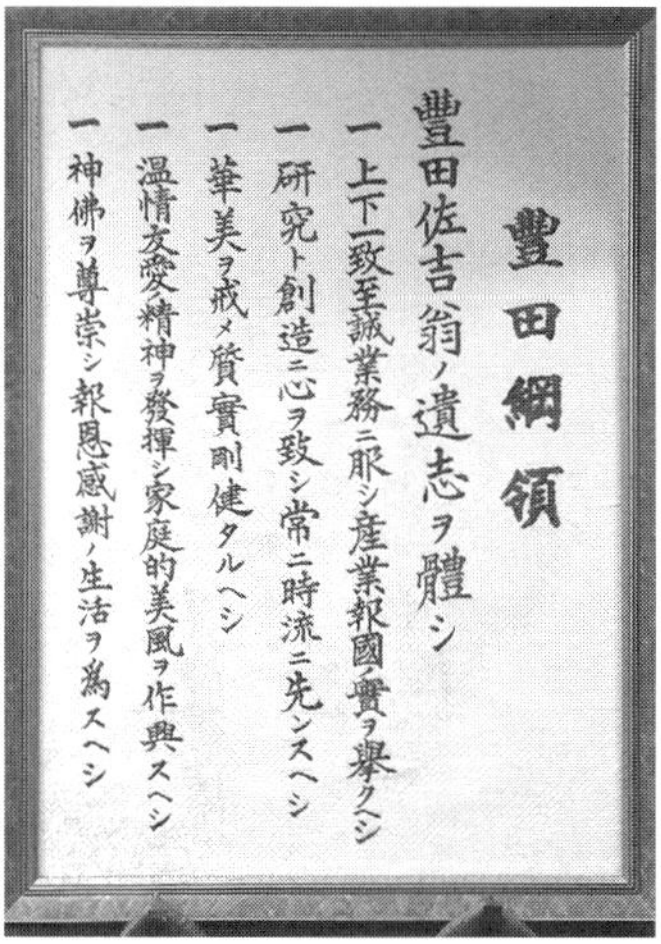

豊田佐吉記念館に展示されている豊田綱領＝湖西市山口

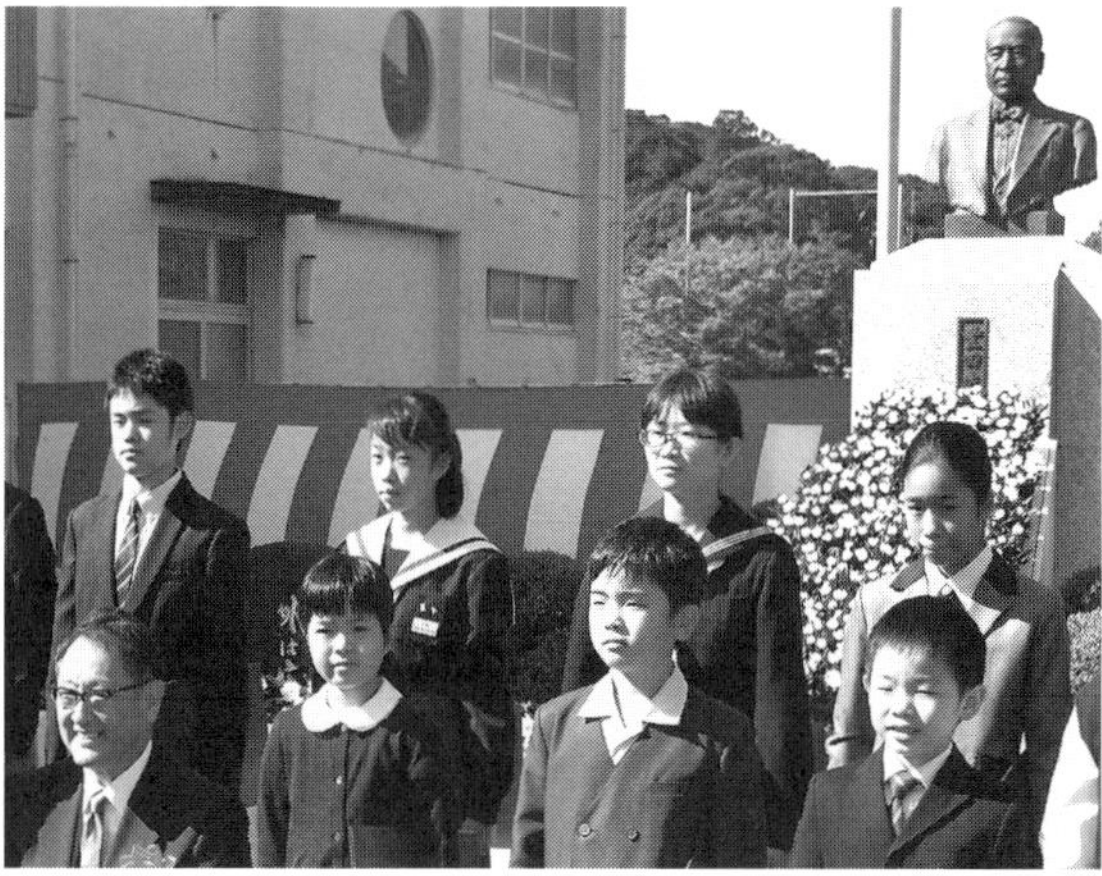

豊田佐吉顕彰祭の日、胸像の前で発明表彰を受けた子どもらと記念撮影をするトヨタ自動車の豊田章男社長（左下）＝2019年10月30日、湖西市の鷲津中学校

太平洋の贈り物

1 「遠州産ブランド」支えるシラス

遠州は太平洋と一直線に向き合う。海と空しか見えない。子どもの頃、白い波を見ながら「左はアメリカ」「前はオーストラリア」と言い合った。そんな太平洋からの贈り物は水産物だ。ブランド力と食文化の視点で考える。

県内の水産業を概観する。全国順位は県ホームページ（ＨＰ）によると、生産量５位、金額７位、加工量３位。県内漁港の取扱金額（２０１８年度）は焼津が圧倒的で、沼津が次ぐ。上位10港のうち遠州は、舞阪（浜松市）３位、御前崎６位、福田（磐田市）10位である。

カツオ漁が盛んだった焼津は明治時代から遠洋に挑んだ。ビキニ環礁の水爆実験で被爆した第五福竜丸の悲劇を生んだが、「水産のやらまいか」は駿河の焼津に譲らざるをえない。各地のブランドは、伊豆は天然の港に恵まれてキンメダイ、駿河湾は遠洋漁業とサクラエビ、そして遠州はシラスやウナギだ。

港に揚がったシラスを仲買人が手にとってチェックする＝浜松市西区の舞阪漁港

反対乗り越え発展

遠州の水産を規定する条件は、砂丘地帯で港の適地が少なく、地引き網が３００年以上の歴史を持つことである。そこに割って入ったのが、海上の船で網を引くシラス漁。舞阪郷土史研究会の「シラス船曳網《ひきあみ》漁業の発祥と普及」（09年刊）によると――

「昭和５（１９３０）年ごろ、舞阪の益井六三郎と福田の加藤伊作がシラス船曳網を考案し、太田川河口で試験操業をした。シラスは鮮度落ちが早いので、加工で行き詰まる。加工施設は地引き網業者が持っていたが、貸さない。船曳は砂が混じらず混獲も少ない利点があったので、理解ある加工業者と協力して成功する。利害が対立する地引き網業者やカツオ一本釣り業者の反対を乗り越え、戦後、本格的に発展した」

シラスは2月前後を除いてほぼ一年中、操業できる。朝に出漁して昼前に戻る。網を1隻で引く地域もあるが、遠州は2隻。漁獲量は日や年によって変動するが、平均すれば安定している。

浜名漁協の河合和弘組合長。アサリ漁を手がけてきた＝浜松市西区

加工業、港周辺に富

浜名漁協組合長の河合和弘（69）は旧舞阪町議、元浜松市議。「舞阪にとってシラスはアサリと並ぶ二本柱。シラスが取れない日は浜名湖でアサリ漁やノリ、カキの養殖をすればいい。最近、アサリが不漁なので、シラスの比重が高まっている」。

太平洋と浜名湖の存在は本当にありがたい。１４９８年の明応地震は甚大な被害をもたらした。しかし、今切口ができて海とつながった汽水湖となった。今や大きな恩恵だ。

シラスは港周辺に加工業という富も生んだ。塩ゆでした釜揚げ、天日などで乾燥させたシラス干し、長く乾燥させるチリメンなどがある。福田のマルイ水産社長内野悟（65）は「出荷先は東京6割、地元3割、関西1割。出荷先別に塩分濃度を調整している。遠州産のブランド力は高い。天竜川の良質なプランクトンのおかげと言われる。東京は見栄え、地元は味にこだわる。味の良さを地道に追求したい」という。

遠州のシラス漁は長い歴史を持つ。都会では食材の一つとして使うことが多い。地元にはご飯にたっぷりかける食文化がある。シラスは遠州水産業の横綱である。（2020・10・30掲載）

2　御前崎の文化、カツオ漁とともに

カツオは静岡県を代表する水産物である。生産量は全国一、県内の魚種別の順位でも1位だ。遠州の代表的産地は御前崎で、「一本釣り」で知られる。地域文化でもある御前崎のカツオを考える。

元船長だった市長

御前崎市長の柳沢重夫（73）は24～34歳の頃、カツオ漁船の船長だった。市長で元カツオ船長は全国唯一ではないだろうか。

元カツオ船長で模型を手にする御前崎市の柳沢重夫市長＝御前崎市役所

「働く両親を早く助けたかった」と地元の浜岡中学を卒業してマグロ漁船に乗り、アフリカや豪州まで行った。「かっこいいから船長になりたい」と資格を取った後、カツオ船の船長になった。1回の航海は約1カ月で、南太平洋を中心に25人ほどで操業した。

船長の主な仕事は船の位置を正確に把握することだ。「当時は精密な機械がないから星や太陽で位置を判断した。雨や曇りが続くと間違った場所にいたこともあった」と笑う。一本釣りも得意だった。優秀な釣り手が陣取る船尾の角に座り、「サオを無駄なく速く回転させるよう工夫した」と振り返る。収入はサラリーマンをはるかにしのいだ。

その後、家業の肉牛飼育に転じ総理大臣賞や農林大臣賞を受賞した。「カツオ漁船は最盛時より減ったが、御前崎の文化だ。ブランドを守り、成長させたい」と話す。

後継者不足が課題

カツオは古事記や日本書紀にも出てくる。御前崎でも１７０８年に26隻のカツオ船があった記録が残る。漁は県内各地であったが、明治以後、焼津が東海道線開通で地の利を得た。船や港の充実で遠洋漁業の拠点へと発展した。

御前崎は交通の便が悪く、農地も少ない。カツオ中心の近海漁業が家族あげての生業となった。男が漁から帰ってくると、女がカツオをてんびん棒で相良（牧之原市）の市場まで走って運んだ。「相良駄賃」と呼ばれ、１９５５年ごろまで見られた。

戦前、全国的に有名になったのが「カツオ釣り体操」だ。考案したのは御前崎小校長の加藤鉉一郎で、俳優の故加藤剛の父。サオを使って全身を鍛える体操だ。教育の国際会議で紹介され、皇族が視察に訪れた。旧御前崎町史は「創意あふれる教育実践の金字塔」と誇らしく書く。

御前崎港に水揚げされたカツオ。新鮮なモチガツオも名物だ＝御前崎市

現在、ブランド発信に力を入れる。御前崎港近くに「海鮮なぶら市場」がある。「なぶら」は魚群の意味。カツオなど鮮魚販売が人気で、わら焼きカツオも食べられる。鮮度が高く弾力のある「モチガツオ」は遠州灘のような近海カツオでしか味わえない。

一方、空洞化も進む。御前崎拠点のカツオ船は1隻だけ。30年ほど前は20隻以上あった。「手《て》火《び》山《やま》式」と呼ばれる伝統のカツオ節製法を手がける加工場は1軒。40年前には20軒近くあった。どちらも後継者不足だ。

南駿河湾漁協組合長の藪田国之(67)は「後継者作りのため漁師の所得を上げたい。資源管理と魚価の向上が必要だ。一本釣りは、網で一網打尽に捕る漁法に比べて資源にやさしい」と強調する。有機野菜の価格は一般の野菜より少し高い。一本釣りカツオもそうなって欲しいと思っている。

（２０２０・11・６掲載）

３　天然「ハマトラ」フグ、ブランド化は

遠州灘は天然トラフグの貴重な産地である。浜名湖畔の舘山寺温泉（浜松市西区）は毎冬、「ハマトラ」とＰＲする。遠州フグのブランド力と食文化を考える。

１９８９年冬、遠州灘でトラフグが突然、大量に釣れた。縄の先に複数の針をつけて釣るはえ縄漁が舞阪（同）を中心に行われていたが、平年の10倍以上釣れた。フグは高級魚で値段が高い。１日の漁で１００万円稼ぐと

フグ漁は毎年10月に解禁され、２月まで続く＝浜松市西区の舞阪港

もいわれた「フグバブル」。情報は駆け巡り、フグ漁を始める漁師が相次いだ。

幻の「フグバブル」

福田（磐田市）でシラス漁をしていた溝口篤（62）もその一人。借金で船を買い、冬はフグ、それ以外はカツオを追った。「2人の男の子の学資と生活費を稼ごうと必死だった」。カツオを求めて伊豆諸島や和歌山県沖まで1人で漁に出た。

フグ漁からシラス漁に戻った福田の溝口篤さん＝磐田市（写真未入稿）

しかし、ほどなくフグの漁獲量は減る。遠州灘のトラフグは「伊勢・三河湾系群」と呼ばれ、他海域とは独立した群れとされる。「卓越年級群」という漁獲量が多い年の一方、少ない年もある。

遠州にはフグの毒を抜く加工施設がないので、山口・下関の市場に持ち込まれた。遠州ではフグを食べる習慣がなく販路も限られた。溝口は「養殖フグが増えて価格も低迷した」と7年前に船を売り、シラス漁に戻った。

食文化の違いは決定的だ。私が大阪に勤務した時、冬のフグと夏のハモを心底楽しみにしている関西人に触れて感動した。山口県出身の知人はカツオやマグロなど赤身魚やウナギはほとんど食べたことがなく、フグなど白身魚中心だったと聞いて驚いた。

量と食文化が壁に

遠州はフグのブランド化に向けた努力を重ねてきた。２００３年、舘山寺の観光業者が組合を結成して加工工場を作り、地産地消の道を開いた。「遠州灘天然とらふぐ」を商標登録した。天然しか出さないホテルや料理店が「とらふぐまつり」を毎年、冬に開く。値段は養殖より高いが、太平洋で鍛えられた身の歯ごたえが全く違う。「身が引き締まって甘みを感じる上質さ」と売り込んでいる。

課題は量が少ないことだ。浜名湖かんざんじ温泉観光協会事務局長の太田昌弘（64）は「まつりは今年で18回目になるが、フグがなくなった年が２回あった。最近は少なめ」という。県内漁獲量は年１００トンを超えたこともあるが、ここ10年は20トン前後、19年は６・９トンと統計を取り始めてから最低だった。

ブランド力と食文化は表裏一体だ。シラスやウナギ、浜松ギョーザのように地元で多く消費されれば、発信力や注目度が上がってブランド力も高まる。フグが安定した量と価格で地元の食習慣を変え、消費増大につながれば、望ましいサイクルができる。稚魚を放流しているが、明るい兆しはまだ見えない。

太田は「息長くやっていくしかない。我々は覚悟を固めている」。浜松市中心部の老舗フグ料理店「神谷」の神谷拓男（77）は「地域でもっと盛り上げるしかない」。

天然フグ料理の定着にかける浜名湖かんざんじ温泉観光協会の太田昌弘事務局長＝浜松市西区

トラフグよ！　戻ってこい。

遠州人よ！　もっとフグを食べよう。

（2020・11・13掲載）

4　ウナギ養殖「先進地」、負の連鎖脱却へ

「浜名湖といえばウナギ！」とタモリは叫んだ。今年1月放送のＮＨＫ「ブラタモリ」で特集された通り、浜名湖ウナギの知名度はなお高い。しかし、今や絶滅危惧種で価格が高騰、高嶺《たかね》の花だ。全国一だった静岡県の生産量も4位に低迷する。資源管理時代のウナギを考える。

ピークは全国7割

浜名湖のウナギ養殖は東京・深川で手がけていた服部倉治郎が本格的な起源。服部は東海道線の車窓から眺めて消費地に近く水が豊富なため適地と考えた。地元雄踏の中村源左衛門正輔と１９００年ころ大規模な養殖場を造った。

福田（磐田市）の太田川河口では寺田彦太郎が１８６６年、日本初の営業目的の養魚場を造った。82年には水産博覧会にウナギを出品した記録もある。遠州はウナギ養殖の先進地である。

戦後、浜名湖周辺や大井川河口の水田が次々と養殖池に変わった。静岡県のウナギ生産量のピークは１９６８年、全国の7割近くにのぼった。しかし、80年代は愛知県、90年代は鹿児島県がトップに立った。

ウナギ養殖は稚魚（シラスウナギ）を捕獲して成り立つ。天然ウナギがマリアナ海溝で産卵し、黒潮に乗った稚魚が日本近海で捕れる。しかし、10年ほど前から激減。２０１４年に絶滅危惧種に指定された。養殖の各種規制も導入された。

資源管理や新料理

多くの挑戦が始まった。浜松市農業水産課の斎藤仁孝（65）は「稚魚不足を何とかするため、産卵用の天然ウナギを官民で放流する取り組みを13年に始めた。養殖先進地として資源管理の責任がある」と力を込める。毎年11～12月、浜名湖で捕

ウナギの放流は毎年行われている＝遠州灘

れた天然ウナギを買い上げ、遠州灘で放流する。効果はまだ不明だが、全国のお手本を目指す。ウナギなど徳川家康ゆかりの食材を「パワーフード」として売り出す組織もできた。生産、流通、販売の各業者が参加するのが特徴だ。魚卸売で創業99年の海老仙（浜松市西区）も一員で、4年前からウナギ養殖を始めた。社長の加茂仙一郎（60）は「日本一おいしい『職人のウナギ』を目指す。資源管理やパワーフードの新組織を通じて地域の一体感も出ている。若手を巻き込んで浜名湖ブランドを再興したい」と飛躍を期す。

　全国唯一というウナギの刺し身も登場した。京都の料亭で修業した仲村健太郎（50）が12年に考案し、自店の「魚《と》魚《と》一《いち》」（同市中区）で提供する。「ウナギの血に毒があり、水と塩と焼酎で毒抜きするのがポイント。仕込みは面倒だが、おいしい白身で自信はある」。県

海老仙の加茂仙一郎社長。「職人のウナギ」を目指す＝浜松市西区

外の著名ブロガーの紹介で火がついた。「孫の代に当たり前の料理になるのが夢」と話す。

ウナギの高値が続けば、若い世代は味を知らず、中年以上は味を忘れ、食文化が衰える。稚魚の闇取引の摘発や規制破りも続き、消費者のウナギ離れも起きかねない。負の連鎖をどう転換するか。先頭を走ってきた「浜名湖ウナギ」の誇りと底力が問われている。

（２０２０・11・20掲載）

ウナギの刺し身を手にする仲村健太郎さん＝浜松市中区

浜名湖畔に立つうなぎ観音＝浜松市西区

浜岡・浅根の祈り

1　原発賛否、親子の正反対の軌跡

中部電力の浜岡原子力発電所（御前崎市、旧浜岡町）の地は「浅根《あさね》」と呼ばれた。電気や水道が来たのは遅かった。そんな土地に突然のように原発が来た。原発を中心に浜岡の歴史や風土を考えたい。恩恵の一方、抱えた苦悩も小さくない。著名な親子の物語から始める。

金の卵を産む鶴

「泥田に金の卵を産む鶴が舞い降りた」。浜岡原発関係者には有名な言葉だ。発言者は浅根のある旧佐倉村出身で産経新聞社長だった水野成夫（１８９９〜１９７２）。長男の誠一（74）は、西武百貨店社長や参院議員を務め、浜岡原発停止と静岡空港反対を訴えて２００１年の知事選に出馬した。原発をめぐって親子は正反対の軌跡を描く。
用地買収から関わった町職員が書いた「浅根に建つ」という記録本によると、浅根には国見山と呼ぶ山があり、キノコの一種の松露《しょうろ》が生えた。ボラの稚魚が捕れる大きな水たまりもあった。金の卵発言は町長が原発受け入れの是非を内密に相談した際に出た。「錦の御旗」になったと書く。1967年7月、原発計画は産経新聞の1面で報じられ、動き出した。

成夫は裕福な農家に生まれたが、波乱の一生だった。旧制静岡中、一高、東京帝大法学部を卒業。共産党に入党して赤旗初代編集長になるが、逮捕されて獄中で転向。フランス文学の翻訳者となった。戦後は国策パルプや産経新聞、フジテレビの社長を務めた。経済評論家で当時産経記者だった奥村宏は「政治的立場は朝日や毎日とあま

1961 年、水野成夫さん（右）と元首相の吉田茂さん（中央）、当時首相の池田勇人さん＝「人間・水野成夫」から

り変わらなかった産経が、右寄り路線に急転換した」と著書で書く。政界人脈も深く、「財界四天王」「怪物フィクサー」と称された。

弱い立場の人にやさしい人情家でもあった。貧しい農家に7年間、里子に出され、「たに」という名の養母に育てられた。「おたにサ」と呼んで心から慕い、「ふたりの母」という随筆を文芸春秋に書いた。涙なしで読めないほど感動的だ。

父の責任を取る

「お父さんの人生は左から右に振れて少しいい加減ではないか」と誠一が聞いたことがある。成夫は「地球を左に回れば右に戻ってくる。社会を良くしたい理念は同じ。何事も自分の頭で考えることだ」と答えた。

原発との関係について誠一は「父は東京電力社長で財界重鎮だった木川田（一

水野成夫、誠一さんの一家＝「人間・水野成夫」から

隆）さんと親しく、浜岡原発への支援を要請されていたと聞いた」と言う。電力業界挙げての協力要請と言える。

誠一が原発に懐疑的になったのは参院議員時代の１９９０年代後半だ。東海地震の可能性が指摘され、官僚や中部電力に問いただし

知事選直後に出版した「静岡県は大丈夫か？」を手にする水野誠一さん＝東京都港区

たが、答えはあいまいだった。「知事選出馬は原発建設を後押しした父の責任を取る意味があった」と振り返る。

知事選では現職に敗れたが、11年の東日本大震災の福島第一原発事故後、政府が浜岡原発の停止を要請する事態になった。知事選の時、「原発の

水野成夫さんの胸像が郷里の桜ケ池近くに立っている。「原発の創設に寄与」と刻まれている＝御前崎市佐倉

話はしない方がいい」と言っていた俳優で夫人の故木内みどりは、事故を機に脱原発運動に力を入れるようになった。誠一は「再稼働にも当然反対です」という。（２０２０・11・27掲載）

２　新聞社社長と市長、原発への思い

旧浜岡町出身で全国紙社長になった人物は産経新聞の水野成夫以外にもいる。２００８年から８年間、毎日新聞社長だった朝比奈豊（73）だ。

学級新聞に「社説」

浜岡町は１９５５年、池新田町と周辺４村が合併して誕生。２００４年、御前崎町と合併して御前崎市になったが、旧村意識はなお強い。

朝比奈は水野より48歳年下で会ったことはない。水野の佐倉村とは離れた新野村出身で、新野時代、水野の名前も知らなかった。浅根で遊んだ記憶もない。朝比奈は「水野さんは経営者から新聞トップに就任したが、私は記者出身で社長になった。部類がまったく違う人間。水野

さんは異能の天才だ」と言う。

水野は「泥田に金の卵を産む鶴が舞い降りた」と原発を歓迎した。朝比奈は「水野さんは読売新聞の正力松太郎さんと親しく、新聞経営の手本にした。正力さんは原子力推進者として有名で、水野さんの原発受け入れ発言に影響しているだろう」とみる。

朝比奈は新野小学校4～6年の時、「ゴールデンタイムズ」という学級新聞を同級生と毎日作った。朝比奈は「社説」も書き、記者志望の原点となった。掛川西高から東大理科II類に進学。浜岡の原発計画が明らかになったのは東大時代だった。

当時は夢のエネルギーとも言われた。しかし、「学生らの間で安全性への疑問も小さくなかった。原子力関係に就職した知人から『盗聴されているので自宅に電話するな』といわれた。ピリピリしている印象があった」という。

地元の戦国武将・新野左馬助を特集した御前崎市広報を手にする朝比奈豊さん＝東京都千代田区の毎日新聞本社

依存体質を疑問視

社会部記者が長いが、原発取材の経験はない。帰省するたびに豪華な施設が原発交付金でできていた。毎日新聞の社説は朝日新聞などと同様、原発に批判的だ。２０１１年3月の福島第一原発事故後、毎日新聞の編集委員が「浜岡原発を止めよ」と異例のコラムを書いた。5月の民主党首相・菅直人の停止要請に影響を与えたといわれる。

脱原発が世界の潮流だと思っているが、地元のあつれきも聞いている。小さな町が国策の巨大プロジェクトを受け入れる苦悩は経験した人にしかわからない。だから浜岡原発の是非について「言わないことが故郷に対する流儀。故郷を出た者が口にすべきではない」と慎重だ。

新野小時代に新聞を作った仲間の1人が、御前崎市初代市長で16年まで3期務めた石原茂雄（72）だ。「新聞作りは（朝比奈）豊君が中心で、私は一兵隊だった。字を覚えたし色々なことを知って勉強になった」と話す。

菅が停止を要請した時、市長だったが、突然だった。要請の前日、経産相の海江田万里が浜岡を訪れ、地元の意見を聞くと言ったばかりだった。石原は「なぜ浜岡だけか。地震が理由ならすべての原発を見直すべきだ。納得いかなかった」と振り返る。

あれから来年で10年。「再稼働は厳しいのではないか。設備は老朽化し、熟練技術者も減っているだろう」とみる。市長時代、原発推進の立場だったが、当時から原発依存は長く続かないと思っていた。「御前崎港の活用や農業や漁業など1次産業を6次産業化して地域の自立が必要だ」と力説する。

（2020・12・4掲載）

3　将来は自ら決める、変化する地元

浜岡原発（中部電力）の取材を担当して4年近くになる。未来に向けて大切と思われる三つの変化を指摘したい。取材ノートから振り返る。

地元に鴨川姓の一族がいる。戦国時代、高天神城（現掛川市）をめぐる甲斐《かい》の武田家と徳川家康の激しい攻防に参戦したと伝わる。

菅首相の浜岡原発停止要請を受けて会見する当時の石原茂雄御前崎市長＝2011年5月7日、御前崎市役所

中電から「協力金」

一族で原発に深く関わった3人を通じて考える。鴨川義郎（93）は旧浜岡町幹部として原発を最初から担当。町長を3期務めた。その後の首長選びに影響力を発揮し、「キングメーカー」と呼ばれた。鴨川源吉（1999年没）は、地元窓口として結成された佐倉地区対策協議会（佐対協）で3代目の実力会長だった。伊藤実（79）は地元の反対運動団体の代表。鴨川姓ではないが、親戚である。

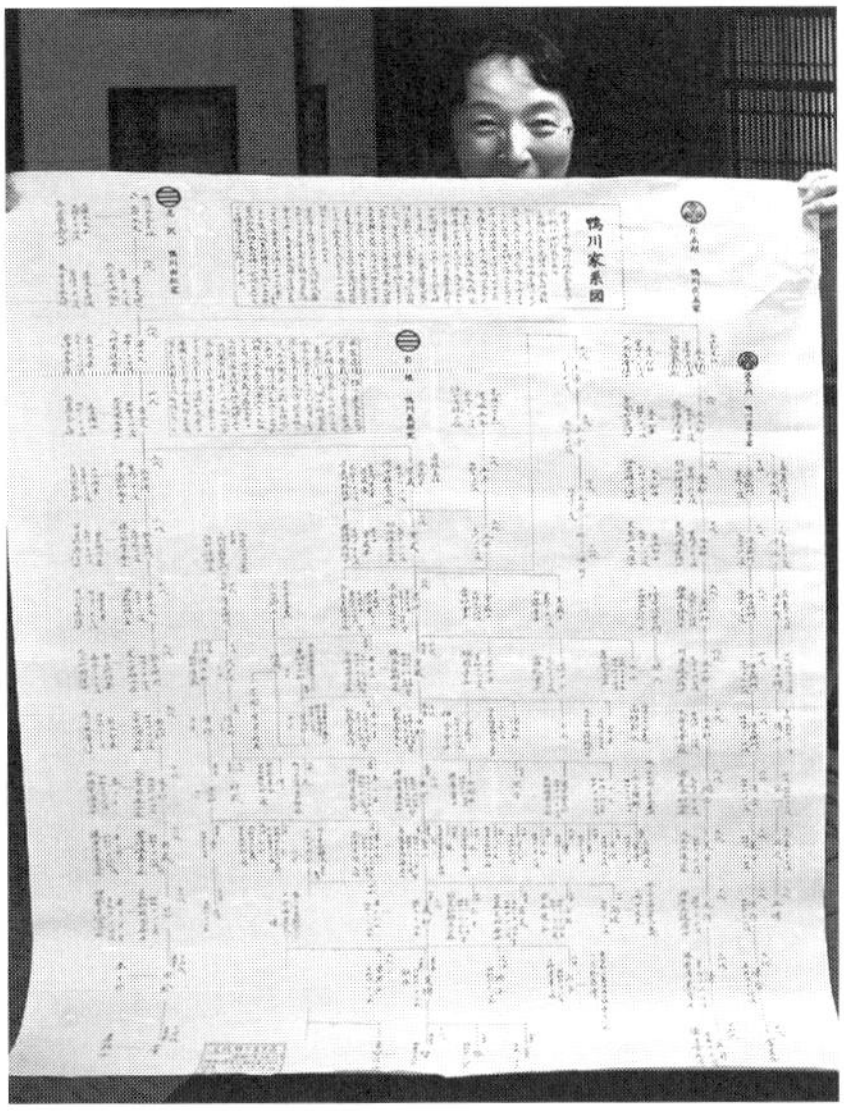

鴨川一族の家系図を持つ鴨川富美子さん

　佐対協は1～4号機の建設可否で影響力を誇った。1979年の米スリーマイル島原発の事故と重なった3号機増設では大揺れとなった。他県の原発立地点では「地元協力金は1機100億円」と言われ、佐対協も動いた。関係者は「中電本社で現金2千万円を受け取った。菓子袋に入れれば疑われず安全という。紙袋の底に現金、上に菓子を入れた。電車のホームでは怖かった」と振り返った。

佐対協は90年代の5号機増設について、軟弱地盤や人家が近く「不同意」とした。しかし、町当局はこれを覆して同意。前例のない事態で、以後、町の影響力が増した。

第1に指摘したい点は「地元の範囲は拡大の歴史」だ。地元の実権は、当初は浅根の地主、続いて佐対協、さらに町・御前崎市当局へと移った。２０１１年の福島第一原発事故後、避難計画を義務づけられた30キロ圏内の自治体が、「地元」になった。再稼働で同意を求められる地元の範囲はこの30キロ圏だろう。

浜岡原発の敷地内にある浅根の馬頭観音（左）と亀供養＝御前崎市佐倉

2人が自立心言及

第2は「自立心」である。原発受け入れ50周年の3年前、推進の義郎、反対の伊藤に取材し

産廃問題の住民投票で圧倒的な反対票を獲得して喜ぶ市民＝2019年12月8日、御前崎市

連載した。浜岡原発の功罪について義郎は「病院など多くの公共施設ができた。しかし、住民の自立心がなくなった」と言った。伊藤は「功は感じない。罪は中電に依存し、自立心が欠如したことだ」と話した。

賛否の2人が自立心に言及したことが強く印象に残った。福島の事故から10年近く。今は若者を中心にスポーツや観光の町づくりが活発になっている。自立の気概の回復を期待したい。

第3は「自己主張と自己決定」である。伊藤は「原発賛否の動きをチェックする相互監視社会になった。自分の意見を言わなくなった」という。もともと保守的な土地柄だったが、原発で「沈黙の町」になった。

しかし、福島の事故で空気は変わり始めた。昨年末には産業廃棄物処理施設をめぐる住民投票が行われ、建設反対が9割を占めた。町の将来を自己決定しようという機運が強まっている。

源吉の長女・富美子（71）は「昔、難しいことは偉い人にやってもらやあええ、といわれる風土だった。住民投票を自分の意見を明確に言うきっかけにしたい。そういう時代です」という。

（2020・12・11掲載）

4　再稼働、福島の詩が問う覚悟

この企画記事のタイトル「浜岡・浅根の祈り」は、ノーベル文学賞を受賞したスベトラーナ・アレクシエービッチ（ベラルーシ）の代表作「チェルノブイリの祈り」にちなんだ。現代文明と地域文化を考える。

同書に登場するのはチェルノブイリの原発事故で

「チェルノブイリの祈り」の著者アレクシエービッチさん

亡くなった消防士の妻ら名もなき人たち。その言葉を丹念に聞き取った記録文学だ。

アレクシエービッチは２０１６年、福島第一原発事故の被災地を訪れた。案内した福島県いわき市在住の詩人・斎藤貢（66）は「寡黙で、話にじっくり耳を傾ける人柄だった。現場の声を聞く意義、その立ち位置の大切さを感じた」と振り返る。

文化、はぎ取られた

斎藤は高校の国語教師で、11年の震災時は県立小高商業高校（南相馬市）の校長だった。相馬藩時代、報徳運動が盛んだった土地である。原発から14キロで学校周辺は立ち入り禁止に。自分の親族２人が行方不明になった。目に見えず、においもない恐怖に故郷を追われている人が今も多くいる。

斎藤は19年、原発事故をテーマにした「夕焼け売り」で現代詩人賞を受賞した。無人になった町で謎

アレクシエービッチさんを案内した詩人の斎藤貢さん＝福島県いわき市

福島第１原発近くで津波の被害も受けた場所。土台だけの墓石に花が供えられていた＝2020年９月、福島県双葉町

の行商人が「夕焼けは、いらんかねぇ」と夕焼けを売りに来る。すると誰もいない家の煙突から煙が漂い、食卓には悲しみが並ぶ。高校から見た夕日は水平に近い阿武隈山地に沈む。その美しさを詩にした。「夕焼けは、いらんかねぇ」

浜岡へのメッセージを斎藤に聞いた。「現代の科学技術を象徴する原発によって地域土着の文化が根こそぎはぎ取られた。除染によって丹精込めて作った田畑の土が削り取られた。汚染は地形と当日の風向きで決まる。30キロ圏外でも安全ではない。悲惨に追いやる強大な権力がある」

脱原発「感情的」か

私は名古屋勤務時代、事故直後に中部電力社長（当時）の水野明久を招いて懇談した。私が「計画的に脱原発すべきではないか」と言うと、水野は「感情的な意見だ」と言った。私は「福島事故を二度と起こさないという意見は論理的だ」と反論した。

19年2月、水野の案内で経団連会長の中西宏明が浜岡原発を視察した。原発メーカー日立製作所のトップだった中西は「原発はどんどん再稼働して欲しい」と直前に発言していた。再稼働をめぐる地元の苦悩を取材している私には「どんどん」という表現に強い違和感があった。中西に「地元はなぜ再稼働に慎重だと思うか」と質問すると、こんな答えが返ってきた。

「原発と原爆が頭の中で結びついているからだろう」

その程度の認識なのか。驚きを通り越して悲しくなった。住民をなめてはいけない。原発と原爆の違いはわかっている。福島の二の舞いはご免だと思っているのだ。

浜岡原発の応接室にある「共存共栄」の額。原発計画が明らかになった当時の竹山祐太郎知事が書いた＝御前崎市佐倉

遠州人よ！　浜岡原発再稼働について自分の意見を持たなければならない。地域の未来を自己決定することは基本的な尊厳である。「是」なら最悪の場合、故郷を捨てる覚悟が必要だ。「非」なら自立の覚悟が必要だ。夕焼け売りの行商が永遠に遠州に来ないことを祈る。

（2020・12・18掲載）

防波壁の前で説明を受ける経団連の中西宏明会長（中央）。右は中部電力の水野明久会長（当時）＝2019年2月14日、御前崎市の浜岡原発

特別編　「身土不二」を考える

品格・にぎわい…文化あってこそ

「身土不二」は人間の体と土地は切り離せないという意味だ。遠州の中心都市は浜松市である。「遠州考」では市長の鈴木康友と最大支援者でスズキ会長の鈴木修を批判的に取り上げてきた。その理由を身土不二の視点から考えたい。

今年７月、コロナ禍対策を発表する浜松市の鈴木康友市長＝浜松市役所

江戸から続く風土

地域の風土は老舗料理店が伝承する「秘伝のたれ」に似ている。長い間に熟成されて独特の風味やうまみ、くせといった個性が生まれる。人格は当人の意思に関係なく風土に影響されて形成される。

遠州考は「やらまいか精神」を探る企画でもある。精神風土は自然と社会に規定される。3年の取材で社会的背景を次のように確信する。

起点となったのは江戸中期、賀茂真淵に始まる国学。「日本とは何か」を探究し、遠州全域に「学びの網」が生まれた。江戸後期、地域振興の報徳運動が「生活文化と経済の網」として重なった。

明治時代を主導したのは薩長藩閥政府。遠州は「官」での栄達は望めず、有能な人

今年１月、浜松商工会議所の新年祝賀会員交歓会に出席したスズキの鈴木修会長＝浜松市中区

材は実業という「民」を目指した。鉄道院（現ＪＲ東海）浜松工場、浜松高等工業学校（現静岡大工学部）を熱心に誘致し技術が育った。戦後の激烈なオートバイ競争が世界的な企業群につながった。

やらまいか精神は江戸以降の文化的基盤抜きには考えられない。その中で有名無名の人材が育った。しかし、市長と会長はこうした文化に無頓着だ。「ケチケチ経営」で知られるスズキ会長が行政改革を主導する。浜松市は市債残高削減の数値目標を掲げ、スズキ流の効率一辺倒で借金減らしに奔走する。

目先の損得よりも

古い物を切り捨てる文化軽視、民俗芸能の宝

浜松市の人口当たり歳出水準
2018年度、全国平均が100、内閣府データ

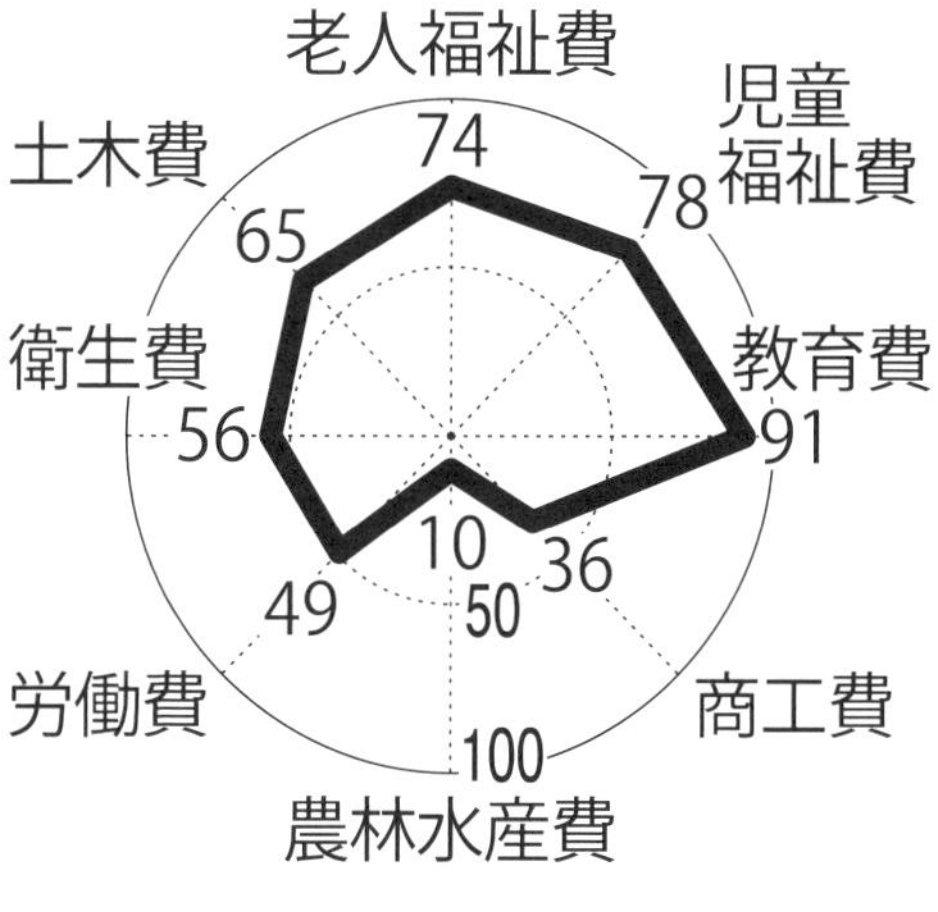

庫である北遠軽視。遠州考取材で多くの不満を聞いた。遠州のある首長は「浜松市は目先の経済的損得でしか考えない。遠州を引っ張ろうという姿勢も感じない」と指摘する。

市政の最大課題とされる行政区再編は会長ら経済界の一部が強硬に求めているが、市民の関心は低い。前市長の北脇保之は今月、「再編論議は地域の多様性や文化を尊重していない。市は財政健全化最優先で市民サービスの低下を招いている」と現市政を批判する異例の講演をした。福祉など全分野の歳出が全国平均より低いことを政府のデータで示した(グラフ参照)。「やめまいか市政」である。

中心部の経営者はこう嘆く。「町中のにぎわい創出のために公共交通機関の充実をラジオで訴えたら修会長に怒られた。軽自動車で郊外に行けばいいと」。市は大きな空き地で残る松菱百貨店の跡地開発にまったく関心を見せない。静岡市に比べ町中のにぎわいは格段に劣る。「１人の経営者があんなに影響力を持っているのは不健全」。公言はしないが、90歳の会長の市政関与に批判的な経済人は多い。こうした見方は会長・市長との親疎とは関係ない。「２人は直言する人を遠ざけた。裸の王様同然」という市幹部もいる。

文化は人を育てる。浜松はこのままでは、品格や風格がなく、にぎわいや福祉もない町になっていく。

（２０２０・12・25掲載）

快人伝

1　柴原力太郎　ひとりこつこつ65年、道路補修に献身

3年近く連載してきた遠州考は本章が最終章となる。これまで登場しなかった爽快、痛快、愉快な「快人」を紹介したい。旧引佐町（浜松市北区）で道路補修に生涯を捧げた柴原力太郎（1884～1972）から始める。

頌徳碑の前に座る柴原力太郎さん＝浜松市北区引佐町井伊谷、伊藤嘉八さん提供

清貧の「ぼろ力さん」

信じられず、まねもできない生涯である。大河ドラマ「おんな城主直虎」の舞台となった井伊谷

大八車を引く柴原力太郎さん＝浜松市北区引佐町井伊谷、伊藤嘉八さん提供

で生まれ、15歳で人力車夫になった。その後、大八車を使って運送の仕事に転じた。道はまだ舗装されておらず、でこぼこに苦しむ。道をこつこつと直す日々が始まり、亡くなるまで65年間続いた。報酬は基本的になく、金ができれば学校や公民館に寄付したり時計を贈ったりした。

「ぼろ力《りき》さん」と呼ばれた。衣服がぼろ着のようにつぎはぎだったからだ。家は粗末、生活は質素で、一生独身。地元の人は畏敬《いけい》の念を抱いた。柴原には気の利いた言葉や書いた物はないが、献身的に生きた伝説ときれいな道を残した。

近くの向山暁（74）は子どもの頃、柴原が週に1回ほど風呂を借りに来たことを覚えている。「食べ物をあげたり、もらったりしていた。物静かで、普通

向山暁さん。写真には向山さんの母と柴原さんが写っている＝浜松市北区引佐町井伊谷

のおじいさんという印象だった。都会なら変人かもしれないけど、ここではみんな感謝していた」

柴原力太郎さんの頌徳碑＝浜松市北区引佐町井伊谷

町民働きかけ表彰

引佐の人は戦前から柴原を県や国に働きかけて表彰した。１９６４年には自宅近くに県知事が碑文を書いた頌徳《しょうとく》碑を建てた。藍綬褒章、勲六等の叙勲を受け、首相招待の観桜会や皇居での園遊会に出席。名誉町民にもなった。しかし、「翁の日常は微動にも変わらなかった」と当時の町長が振り返っている。

柴原さんを撮り続けた伊藤嘉八さん＝磐田市

磐田市福田の伊藤嘉八（73）は19歳から7年間通い、柴原の写真を撮った。伊藤は「できたばかりの東名高速を見に行った時、真剣に見つめていたことを覚えている。信号のない新しい道路と車の速さに感動した様子だった。柴原さんをたたえようという引佐の人たちのまとまりも記憶に残っている」と話す。

浜松市との合併で柴原は本田宗一郎、古橋広之進らと並ぶ名誉市民になった。

浜松は「出世の街」とＰＲする。江戸幕府で浜松城主が出世したことが一因だが、「民の町・浜松」が官の人事をありがたく思うのは浅薄ではないだろうか。

柴原に出世の観念はなかった。引佐の人々は私欲のない柴原を顕彰し続けた。この精神こそ誇りたい。


（２０２１・１・15掲載）

２　平野運平　日系社会の礎築いた「移民の父」

旧初馬村（現掛川市初馬）に生まれた平野運平《かずへい》（１８８６〜１９１９）は「ブラジル移民の父」と呼ばれる。慣れない環境と重労働に耐え、日系社会の基礎を作った。

夢と現実の「落差」

こんなニュースを覚えているだろうか。２００４年、ブラジルを訪問した首相小泉純一郎が、

掛川市の生涯学習センターに立つ平野運平の胸像＝掛川市御所原

日系人歓迎会のあいさつの途中、涙を流して30秒ほど沈黙してしまったのだ。前日、日本人が開拓した土地をヘリコプターで視察した際、手を振っている人たちを見て急きょ着陸し、涙の大歓迎を受けた。あいさつの時に思い出し、移民の苦労や望郷の念に思いをはせて感極まった。この土地はグァタパラと呼ばれ、平野が中心になって開拓した場所だった。

最初のブラジル移民は１９０８年、笠戸丸で渡った約８００人。笠戸丸は日露戦争の戦利品だが、戦争に勝っても不況で国内は疲弊。コーヒー農場の働き手が全国で募集され、沖縄と鹿児島出身者が多く集まった。

ブラジルに渡った通訳の５人。前列中央が平野運平＝松尾良一著「平野運平」から

東京外国語学校（現東京外国語大）を卒業した5人が通訳に選ばれ、平野はその一人だった。

移民は家族単位で募集され、豊かな生活を夢見た。しかし現実は全く違った。20年前に奴隷制は廃止されていたが、実態は奴隷に近かった。粗末な小屋に住み、過酷な労働と開墾を強いられた。日用品を買うため借金がかさみ、夜逃げも相次いだ。通訳は次々と解雇され、残ったのは平野だけだった。世話役を兼ねて日本人をよくまとめた。ブラジル人の支配人に評価され、副支配人になった。

平野運平の本を書いた松尾良一さん＝浜松市西区

戦前、移民は国家的事業だった。「国内に働き口がないから海外へ」という考え方が主流となり、米国から南米、満蒙開拓へと突き進んだ。第1回芥川賞となった石川達三の「蒼氓《そうぼう》」はブラジル出発前の神戸の移民収容所を描いている。北杜夫は長編小説「輝ける碧《あお》き空の下で」を書き、平野は「仕事の鬼」として登場している。

花開いた報徳思想

なぜ平野は成功したのだろうか。浜松市役所で国際交流事業に携わり、平野の伝記を書いた松尾良一（69）は「報徳思想があったからだと思う。『世のため人のため』と我慢強く努力し、人徳で周囲の信頼を得た。他の通訳は外交官のような気持ちだったが、平野は違った」という。

平野は掛川中学（現掛川西高）の一期生だった。前身は遠州報徳運動の中心だった岡田良一郎が作った冀《き》北《ほく》学舎。英語の原書も学んだ私塾だが、報徳的気風で育ち、海外に目が開かれていた。

平野植民地と呼ばれる開拓地も残したが、スペイン風邪のため32歳で亡くなった。現地の小学校には鎮魂碑が建てられ、功績を伝える筑前琵琶も残る。平野姓は在学中に旧光明村（現浜松市天竜区）の親戚だった平野家に養子に出たためで、それ以前は榛葉姓だった。榛葉一家は運平の死後、ブラジルに移住した。

松尾が伝記を書いたのは、浜松市在住の日系ブラジル人が急増した際、平野について聞かれ、地元ではよくわからなかったからだ。記録があって歴史は残る。海外で活躍し、埋もれている遠州人がまだいるかもしれない。

（2021・1・22掲載）

3　小杉あさ　盲教育に貢献「日本のヘレン・ケラー」

旧高薗村（現浜松市浜北区）に生まれた小杉あさ（1881〜1969）は、女性の視覚障害者で盲教育の発展に貢献した。人格とあんま技術に優れ、有力者に支援の輪を広げる。「日本のヘレン・ケラー」と呼ばれた。

小杉あさ＝足立洋一郎著「愛盲」から

19歳で完全に失明

「六枚の肖像画　近代を拓《ひら》いた静岡の女たち」（1982年刊）という本がある。著者は静岡女子大教授だった故・美尾浩子。医者吉岡弥生、教育家塚本ハマ、オペラ歌手三浦環、小説家鷹野つぎ、化学者波多腰ヤスとともに小杉を紹介している。いずれも明治期に育った女性だ。

小杉について「彼女の意欲的な活躍がなければ、静岡県の盲人福祉の黎明《れいめい》ははるかに遅れた」「あさが障害を持たなかったら市井の平凡な主婦で終わったかも知れない。マイナスをプラスに変えた強い意志は私をとらえて離さない」と書く。

小杉は裕福な農家に生まれた。13歳から視力が衰え始め、19歳で完全に失明した。中途失明の絶望感は先天的失明より強いといわれる。死も考えた。父母は掛川にできたばかりの県内初の盲学校「東海訓盲院」に通わせることにした。１９００年のことだ。

同院は中途失明した旧横須賀村（現掛川市）出身の松井豊吉が、全国8番目の盲学校として設立した。小杉は点字を一日で理解し、「空前の優秀さ。性格も柔和」と評価された。粗末な学校だったが、あんま・はりから古今和歌集まで豊かな教育を受けた。07年から1年間、東京盲唖《もうあ》学校（現筑波大付属視覚特別支援学校など）で学んだ。その前後は同院で教えた。

県立静岡視覚特別支援学校にある小杉あさの胸像＝静岡市駿河区

聾唖との分離実現

時代は障害者教育を重視し始める。同院は静岡に移転し、33年に県立静岡盲唖学校が設立された。しかし、目・耳・口の不自由な人では教育方法が違う。小杉は学校の分離に向けて県や国に陳情した。小杉の評伝「愛盲」の著者で浜松視覚特別支援学校教諭の足立洋一郎（63）は「目を見張る行動力だった。支援者に働きかけ、翌年には盲と聾唖《ろうあ》の分離を実現した。教育的に大きな業績だ」という。

支援者は主にあんま治療を通じた縁だった。県知事や地元国会議員に加え、朝鮮総督で後の首相の斎藤実、評論家の徳富蘇峰らがいた。37年と48年に来日して静岡市を訪れたヘレン・ケラーと交流。戦後は県盲人連合会長などを務めた。「人間の価値は障害の有無ではない。いかに生きるかにある」と訴えた。

盲教育では小杉以外に2人の著名な遠州人がいる。石川倉次（1859～1944）は日本点字の創始者。浜松藩士の家に生まれ、フランス起源の点字を研究した。浜松市立中央図書館に碑がある。

浜松市立中央図書館に立つ石川倉次の石碑＝浜松市中区

中村京太郎（１８８０～１９６４）は毎日新聞社に点字新聞の発刊を働きかけ、今も続く「点字毎日」初代編集長。旧和地村（現浜松市西区）に生まれた。小学校で失明したが、英国留学を経験し、国際的に活躍した。

元浜松視覚特別支援学校長で日本盲教育史研究会長の伊藤友治（71）は「３人とも盲教育の世界では全国区の存在です。やらまいか精神を感じます」と話す。（２０２１・１・29掲載）

4　青山士「技官倫理」残し体現した土木技師

若き日の青山士

旧中泉村（現磐田市中泉）に生まれた青山士《あきら》（１８７８～１９６３）は、高い倫理観を持った土木技師だった。キリスト者の内村鑑三に強く感化され、「生まれた時より世の中を少しでもよくしたい」と誓った。パナマ運河や荒川放水路の難工事に携わり、便利さと安全を後世に残した。

「土木技術者の倫理」という本がある。1999年に制定された「土木技術者の倫理規定」について、土木学会が詳しく解説した本だ。

最初の倫理規定は戦前の38年に作られ、起草の中心は青山だった。土木技術者は「人類の福祉増進に貢献」「公正で清廉を」と訴えた。本はこの規定を「金字塔」とたたえ、青山の主張を「廉恥の精神」と形容する。青山は地元ではあまり知られていないが、土木関係者の間では著名だ。

1961年、磐田市の自宅の庭でくつろぐ青山士

内村鑑三から感化

生家の青山家は中泉を代表する素封家だった。祖父の宙平は明治初期、中泉奉行で「郵便の父」と後に言われる前島密と弱者救済や学校建設に尽力した。事業を幅広く展開し東京にも住居があった。孫の士が磐田の小学校を卒業すると、東京の尋常中学（現日比谷高校）に入学させた。驚異的な教育熱である。

青山は一高に入学。同級生の影響でキリスト教に関心を持ち、内村と出会った。「いかに生きるべきか」と悩んでいた青山は衝撃を受けた。

内村は札幌農学校（現北海道大学）に入学し、「少年よ大志を抱け」で有名な教育者クラークの教えを受けた。無教会主義を唱え、日露戦争では非戦論を主張。武士道精神に根ざす日本的キリスト教者として知識人に大きな影響を与えた。内村は人民救済を目指す土木事業が「後世への最大遺物」になると力説。青山は土木技術者として生きることを決意し、東京帝国大学土木工学科で学んだ。

大学の恩師は札幌農学校で内村と親友だった。恩師の紹介でパナマ運河の建設に参加することになり、大学を卒業した03年に渡米。翌年から7年半、日本人として唯一、工事に加わった。熱帯のジャングルで測量をし、10人に1人が黄熱病やマラリアで亡くなる過酷な日々も送った。

青山士が眠る墓。前面は下部の「青山氏」以外に文字はなく、簡素だ＝磐田市の中泉寺

碑には「人類のため」

12年に帰国し、内務省技官に採用される。洪水

を繰り返していた東京・荒川の放水路を建設。27年からは新潟県の信濃川で大河津分水路の改修を担当。34年には内務省技術官僚の最高ポストである内務技監に就任した。最高の栄達を遂げたことになるが、事務官僚との派閥争いに巻き込まれ、辞職した。

土木構造物とともに後世に残したのは「技術者倫理」だった。「軍艦より治水を」と問いかけ、軍部からマークされた。業者からの贈り物は一切拒否。工事の完成記念碑に自分の名は残さず、工事の犠牲者を悼み、日本語とエスペラント語で「人類のため」と刻んだ。38年の倫理規定は青山の生き様そのものだった。

戦後は磐田に戻り、静かに暮らした。富士山の大沢崩れ工事や天竜川の水利調査に携わり、84歳で亡くなった。磐田駅に近い中泉寺にある墓は前面にほとんど字がない。派手なことを嫌った青山の人生がしのばれる。

（２０２１・２・５掲載）

5　鳥居信平　統治下の台湾、地下ダムで潤した

鳥居信平《のぶへい》（１８８３〜１９４６）は彗星《すいせい》のように現れた偉人である。旧山梨村（現袋井市上

正月に帰宅した鳥居信平（右から２人目）を囲む一家。左から２人目が妻まささん、中央が長男の鉄也さん。昭和初期ころとみられる＝平野久美子著「水の奇跡を呼んだ男」から

山梨）に生まれ、日本統治下の台湾で地下にダムを建設した。環境に配慮した施設で、恩恵を受ける人が今も20万人。しかし、10年余り前まで出身地でさえ無名の人だった。

ノンフィクション作家の平野久美子（70）は2007年、台湾南部にある屏東県《へいとうけん》の県長から「鳥居信平を知っているか」と聞かれた。「テレサ・テンが見た夢」などの著書がある平野は、10年以上前から台湾をよく訪れていたが、初耳だった。

県長は「独創的な地下ダムを作った技師です。環境を壊さない素晴らしい灌漑《かんがい》施設を完成させた」と説明した。ダムは「二峰圳《にほうしゅう》」と呼ばれる。荒れ地を緑の農地に変え、地域の人に感謝されている。感銘を受けた平野は08年、鳥居

の生涯を月刊誌に発表。翌年、「水の奇跡を呼んだ男」を出版した。鳥居は袋井で広く知られるようになった。

環境配慮した施設

鳥居は裕福な農家の三男に生まれた。家を継ぐ必要はなく、好きな勉学に打ち込んだ。旧制静岡中学、旧制四高、東京帝国大学農科大学を卒業。技師として農商務省に入り、中国本土や徳島県で耕地整理や灌漑《かんがい》施設を建設。転機は1914年に訪れた。大学恩師の上野英三郎から、国策会社として設立された台湾製糖で、サトウキビ栽培のための灌漑工事を要請された。上野は「忠犬ハチ公」の飼い主として知られる博士。台湾製糖は隣の森町出身の鈴木藤三郎が初代社長を務める会社だった。

鳥居鉄也氏

勇躍訪れた土地は不毛で、洪水や干ばつも多かった。鳥居は勾配や降水量など膨大なデータを手作業で収集。「首狩り」の風習を残す原住民との折衝や伝染病と格闘しながら、豊富な伏流水を生かすアイデアを思いついた。地下にせきを造って水を止め、農業用水として下流に流す地下ダムである。調査2年、工事2年、延べ作業員14万人。長さ３２８メートルのダムを埋め込み、23年に完成した。

現地との交流今も

地下ダムの先進的な意義は台湾の大学教授による地道な研究で明らかになった。平野は「予算と工期が限られた民間工事だったが、鳥居は考え抜き、環境にやさしい施設にした。現地に行くと１００年先を考える土木技術者の魂を感じる」という。

長男鉄也（１９１８〜２００８）は南極越冬隊員で、父より先に著名だった。56年の第１次から参加し、４、８次は隊長。南極訪問は28回を数え、袋井市の小中学校で講演した。困難な土地での格闘が父との共通点となった。

台湾から贈られた鳥居信平の胸像＝袋井市上山梨４丁目の月見の里学遊館

鳥居の存在は台湾との交流も生んだ。台湾の著名な実業家、許文龍が２００９年に胸像を袋井市に寄贈。同市からは市長を団長に１０８人が訪台したこともある。地元の大学同士も交流を続ける。

昨年6月には屏東県からコロナ禍対策の支援物資が届いた。
袋井市長の原田英之（78）は「袋井は報徳運動が盛んだが、鳥居さんには社会のために尽くす報徳精神を感じる。鳥居さんのおかげで始まった台湾との交流を大切に長く続けたい」と話す。

（２０２１・２・19掲載）

6　中根金作　庭園の美追求、国内外に作品

旧天竜村（現磐田市下岡田）に生まれた中根金作（１９１７～95）は「昭和の小堀遠州」と呼ばれた。小堀は戦国から江戸初期の茶人、造園家、書家と多彩な顔を持つ。中根は京都を拠点に植木職人として文化財保護を学び、造園業を通して大学学長になった。造園文化人といえる一生だった。

ルーツや進化説く

「日本の庭」（１９６４年刊）という中根の著書がある。日本庭園の起源を日本書紀や万葉集

から説き起こす。禅宗や茶の湯の影響を分析し、金閣寺など全国の38名園を紹介する。別の著書では「庭園は他の文化同様、絶対権力者や富豪を中心に発達する。地方への伝達は武力と財力があったところに限られる」と書く。新しい権力が生まれた明治は停滞期、戦後は国際化や都市化で進化していると庭園の奥深さを説く。

中根金作氏＝中根庭園研究所提供

中根一家は旧天竜村から磐田駅前に移って米穀商を営む。「手に職をつけろ」という父の教えで浜松工業学校（現浜松工業高校）に進学。染色図案を学び、浜松三大企業だった日本形染に就職した。しかし、父の友人の息子が造園家で活躍していることに興味を持ち、退職。東京高等造園学校（現東京農大）に進学した。

卒業間近の京都旅行で覚醒する。庭園の美しさに震え、「涙がこぼれて仕方なかった」という。京都の植木職人に弟子入りし作庭を学ぶ。戦争に2度召集され、戦後は京都府で文化財保護を担当。49歳で中根庭園研究所を設立、造園を本格化する。大阪芸術大教授として外国人にも教え、70歳で学長に就任した。

修理も含めて中根の手がけた庭は、京都の著名な寺だけでも天龍寺、南禅寺、西本願寺、竜安寺、大徳寺、三千院などがある。京都以外では栗林公園（高松市）、大濠公園（福岡市）、兼六園（金沢市）など。米国ではジミー・カーター大統領センターやボストン美術館があり、アジアと欧州にも広がる。米国専門誌の日本庭園ランキングで1位常連の足立美術館庭園（島根県）は代表作だが、オーナーが自分流にアレンジしたため、中根が「改悪が目立つ」と怒った逸話も残る。

生誕地の地元自治会が 2015 年、記念碑を建てた＝磐田市下岡田

湖西に40カ所残る

遠州では湖西市新居町に集中する。１９７０年代後半、小学校分校用の土地を購入したが、取りやめに。当時の旧新居町長が土地利用の提案を中根に委託したのが始まりだ。図書館、文化公園、老人福祉センター、親水公園など約40カ所が中根作品だ。

中根金作氏が造った庭園に立つ吉元洋美さん＝湖西市新居町浜名の老人福祉センター

新居町には中根を研究する市民団体ができ、昨年、本を出版した。会長の吉元洋美（51）は「中根さんの庭は自然で落ち着く。整備して語り継いでいきたい」と話す。

長男の中根史郎（70）は「文化財や古い庭園に学んだ父は、美意識を追求する純粋芸術家だった。商売より自分の信念に向かって突き進む。古武士のようで、エネルギーは大きかった」という。

史郎は京都育ちだが、子どもの頃、長い休みは母の実家がある浜松で過ごした。哲学者を目指したが果たせず、父は「やめとけ」と言ったが、研究所長を継いだ。今は海外事業に力を入れ、サッカーのジュビロ磐田を応援する。

（２０２１・２・26掲載）

7　秋野不矩　「野性」の激しさ、胸に秘め描いた

旧二俣町（現浜松市天竜区）生まれの秋野不矩《ふく》（1908〜2001）は、文化勲章を受章した日本画家である。小学校教師を1年で挫折。好きだった絵に生きた。京都を拠点にしたが、最も遠州人らしい一人である。

1966年8月、自宅でくつろぐ秋野不矩さん＝京都府美山町（現南丹市）

二俣は天竜川が深い山から平野に流れ出す地にある。秋野は絵が好きだったが、家が貧しく教師になった。17歳で天竜川上流の横山尋常高等小学校1年の担任になる。

教師になるも挫折

「私はてこずった。統制がきかず、教

室は一日お祭り騒ぎだった」と自著に書く。週末、歩いて3時間の実家に帰って泣いた。見かねた親は得意な絵をやらせることにした。横山の悪童たちが画家秋野を生んだことになる。

生家は二俣城跡の山の中腹にあり、父は神官だった。二俣尋常高等小学校ではホンダ創業者本田宗一郎の2年後輩。小学校時代、東京美術学校（現東京芸大）を出たばかりの教師と出会う。ゴッホやゴーギャンの絵を知り、覚醒した。横山小での挫折を経て画業に専念した。

21歳で京都に出て、西山翠嶂《すいしょう》の日本画塾に入る。すぐ帝展に初入選。しかし、翌年の帝展に出品した「野良犬」は落選し、失意の底に沈む。「野良犬が夏の炎天下を歩いている気持ちを表現したい」とあばら骨が透けて見える犬を描いた。好きな世界だったが、胸にしまい込み、その後は世間が受け入れる美に転換する。

5男1女に恵まれた。秋野は作画に集中し、子どもたちは自炊した。子どもをモデルにした「少年群像」で第1回上村松園賞を受賞。「京都画人には珍しい独自の境地」と評価された。京都市立美術大助教授だった54歳の時、転機が訪れた。アジア初のノーベル賞（文学賞）となった詩人タゴールの賞金で設立されたインドの大学から派遣要請があった。

秋野は「私が行きたい」と手を挙げた。インドに関心があったわけではないが、4年前に離婚し、創作面でも苦しんでいた。

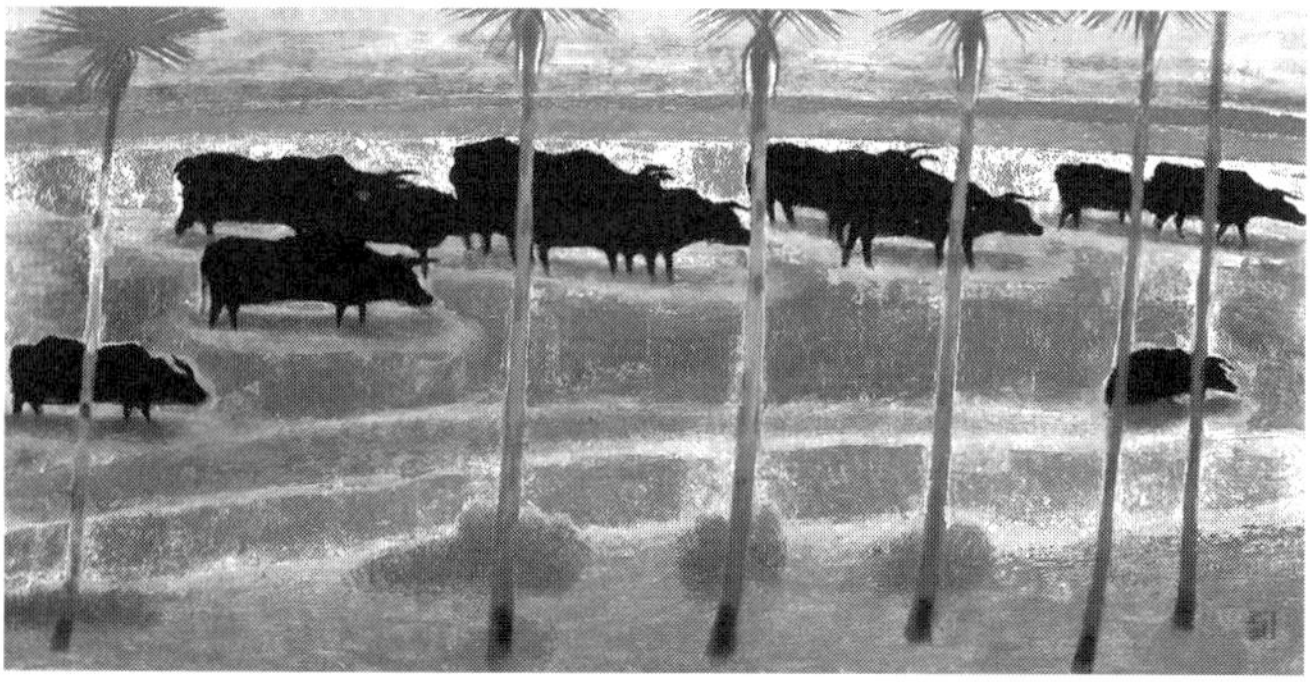

インドの情景から構想した「帰牛」＝浜松市秋野不矩美術館提供

インドに魅せられ

インドでは厳しい自然を受け入れて悠々と暮らす人々、すべてを包み込む大地に感動した。胸に納めた「野良犬」の世界を獲得したように見える。インド訪問は14回。水牛や寺院や民家、働く人や女性を描いた。90歳を超えて大作を仕上げ、驚嘆させた。

作家水上勉は「インドを描くことで生命をたぎらせている」、詩人大岡信は「黄色が印象的。ゴッホの多弁さ、ゴーギャンの激しい飢渇に対し、静かなる豊饒《ほうじょう》だ」と表現した。哲学者梅原猛は「神様、無欲な女仙人」と評した。秋野は穏やかな物腰だが、激しさを秘めていた。

秋野不矩美術館は旧天竜市が総力を挙げ、二俣の丘に作った。学芸員の大山みどり（47）は「弱い立場の人に共感し、美しさを感じた。膨大なエネルギーで自分の世界を追求した。芯の強い人間性が魅力だと思う」と話す。

天竜川沿いで見た犬、動物、人、自然……。秋野には都会の画家にはない野性を感じる。「不矩」は決まり事にとらわれない意味である。自らの夢に向かって一心不乱に突き進む――。遠州偉人の典型と言っていい。

（２０２１・３・５掲載）

8　福長浅雄　国産初の旅客機、羽ばたいた夢

旧飯田村（現浜松市南区）に生まれた福長浅雄（１８９３～１９８０）は、黎明《れいめい》期の飛行機作りに挑戦した。「墜落王」とも呼ばれたが、29歳の時、弟2人と国産初の旅客機製造に成功した。無謀なヒコーキ野郎、空の快人。母校飯田小学校は福長を教材に「夢」の授業を続けている。

浅雄は天竜川に近い農家に生まれた。気楽な三男坊で、のびのびと育った。わんぱくで人気者。10歳の時、米国のライト兄弟が世界初の動力飛行機で空を飛んだ。トンビに憧れた浅雄は覚醒した。

福長３兄弟。右から浅雄、四郎、五郎。３人とも精悍《せいかん》な顔つきだ

高等小学校を出て、地元の天竜木材に就職。製材所を創業しようと3年で辞めて兵庫・川西で事業を始める。17歳の時、陸軍大尉の徳川好敏が日本人で初めて飛行機で空を飛んだ新聞記事を見た。

ここから遠州人らしい猪突《ちょとつ》猛進が始まる。徳川に頼み込んで助手になり、埼玉・所沢へ。３カ月後に川西に戻り、定期航空事業を目指して製材で資金をためる。25歳、千葉・津田沼を拠点にした民間航空の先駆者から飛行技術を習得。起業の条件がそろった。

民間人のロマン

26歳の１９１９年、天竜川河口の掛塚町（現磐田市）に福長飛行機研究所を設立。四男の四郎、五男の五郎も加わった。資金集めのため21年に株式会社にした。社長は浜松開誠館創始者の長谷川鉄雄。当時の株主名簿には掛塚や飯田村、河輪村など河口周辺の１９８人が名を連ね、福長の夢に投資した。会社は飛行機製造と操縦訓練に明け暮れた。墜落も多かったが、木製で

初の国産旅客機「天竜10号」

けがは軽かった。

22年、ついに国産初の旅客機が完成した。浅雄が手がけた10番目の飛行機で「天竜10号」と名付けられた。３００馬力、最高時速１８０キロで６人乗り。航空当局に旅客機と認定されたが、旅客輸送に関する法律がなかった。飛行機を使って稼ぐことができず、やがて資金が底をついた。翌年から機体修理へ転換し、そのまま先細りに。バスやタクシー会社を経営し、戦後は漢方薬を販売した。

五郎の長男・利晴（95）は浅雄について「思いついた

浅雄の長男の利晴さん（左）、孫の昇さん＝磐田市豊岡

らすぐ実行する人。将来に対する見方が鋭かった。将来は飛行機だという思想を広めた。飛行機は当時、軍が主導したが、ひたすら民間人としてロマンを追い求めた」と話す。

母校で続く授業

福長の母校の飯田小にある記念碑と金原佐知子校長＝浜松市南区

浜松は飛行機と縁が深い。飛行機が脚光を浴びたのは第1次世界大戦（1914～18）。ホンダ創業者の本田宗一郎はそのころ、浜松で米国人の曲芸飛行を見て覚醒した。26年に浜松に陸軍飛行第七連隊が設置され、中国やアジアに対する大規模空爆の拠点となった。戦前、ヤマハの経営を支えたのは軍のプロペラ製造だった。戦後、航空自衛隊発祥の地は浜松。軍事色も強い業界だが、福長は民間飛行にこだわった。

天竜川河口近くの福長飛行場跡地に立つ看板＝磐田市掛塚

飯田小の1～6年生は毎年2時間、福長について学び、自分の夢を書く。校長の金原佐知子

（58）は「失敗しても挑戦する姿勢を伝えたい。夢を育む活動は20年以上続いています。みんな自分の夢をしっかり話せます」と言う。

浅雄は旅客機事業家として成功しなかったが、夢の精神が１００年後にも地元で羽ばたいている。

（２０２１・３・12掲載）

9　浅沼武　違憲判決、25条に魂吹き込む

浅沼武氏

旧富岡村（現磐田市）出身の浅沼武（１９１１〜81）は１９６０年、岡山県の結核病患者・朝日茂が訴えた「朝日訴訟」で、画期的な違憲判決を下した。理由は「国の生活保護基準は、生存権を定めた憲法25条に達していない」。福祉政策に影響する判断だった。

入院中の朝日は国から日用品費として月６００円の生活扶助を受けていた。「パンツ年１枚、ちり紙月１束」が

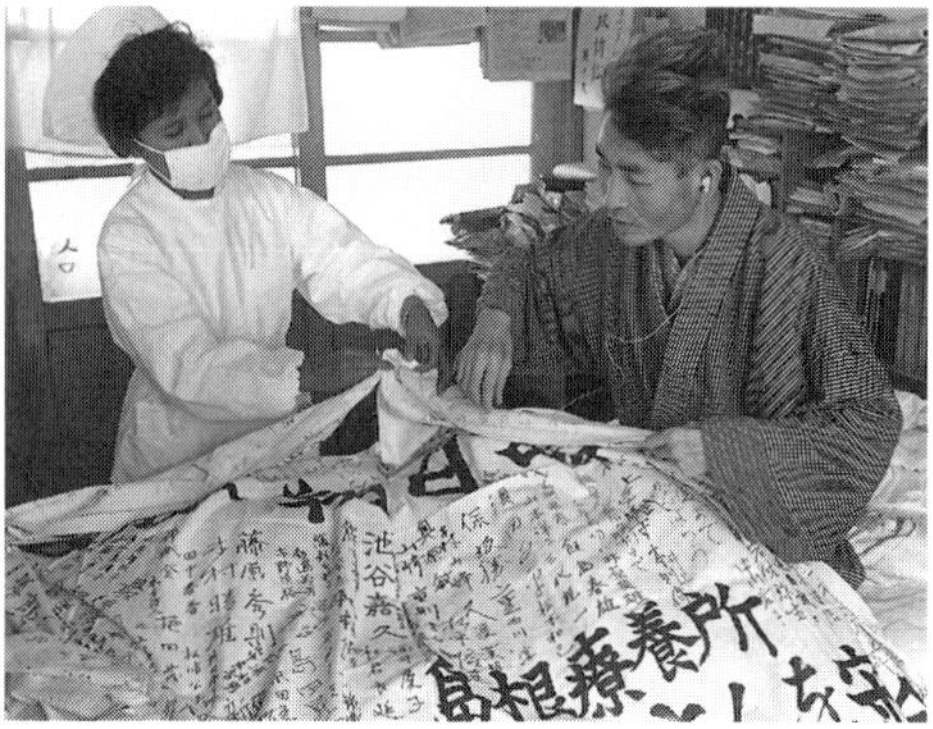

1963年、支援者の寄せ書きなどを見る療養中の朝日茂さん（右）

基準で、生活は苦しい。「せめて1千円に」と57年に提訴。根拠は「健康で文化的な最低限度の生活を営む権利」をうたった憲法25条だった。

「朝日訴訟」裁判長

東京地裁の裁判長だった浅沼ら裁判官3人は59年の夏の盛り、弁護団の求めに応じて朝日が入院する岡山県の国立療養所を訪問した。浅沼が「何が欲しいですか」と聞くと、朝日はそんな質問をしてくれるのかと意外そうな顔で「たまにはバナナやウナギのかば焼きを食べてみたいです」と答えた。

浅沼らは「人間らしい生活とは何か」を考え抜いて原告の主張を認めた。「憲法は絵に描いたモチではない」とも断じた。弁護団は「当事者の訴えに素直に耳を傾けてくれた。裁判官に恵まれた」と振り返る。判決は二審で覆され、最高裁は朝日の死亡で上告を棄却した。しかし、憲法25条に魂を吹き込んだ意義は大きかった。

憲法は連合国総司令部（ＧＨＱ）主導だったが、生存権の考えはなかった。学者で社会党国会議員の森戸辰男ら日本側の要求で盛り込まれた。西洋の人権思想と明治期の自由民権運動の影響を受けた日本独自の規定とされる。浅沼判決は「努力目標」という理解が一般的だった25条について、国の義務だと判断した。その後の生活保護水準の向上、労働者の賃金引き上げにもつながった。

元厚生官僚で磐田市長だった鈴木望（71）は「歳出に厳しい財政当局に対して、厚生省は弱い人のために努力してきた。浅沼判決は『厚生省はもっと頑張れ』と尻をたたく意味があった」と言う。

労作教育の成果か

浅沼の旧姓は水野で、実家は農業だった。見付中学（現磐田南高）に進学。校長・尾崎楠馬《くすま》の方針で、学校作りを兼ねた労作教育が全国的に知られた。生徒は土木作業に追われて「ドカ中」と呼ばれ、当時造った防風堤などが残る。浅沼がわざわざ

1928年8月の浅沼武氏（左）。隣は弟

岡山を訪問したのは、頭だけでなく体も使って考える労作教育の成果と言えないだろうか。

東京帝国大法学部を経て裁判官になり、水戸地裁所長や東京都地方労働委員会会長も務めた。裁判官時代、在京の見付中同級生に「君はどう思う」と熱心に聞いていた。

79年の判例タイムズ巻頭言に「裁判官が世評にさらされることは宿命で、自己の裁判が上級審で覆るのも制度の常である。勇気をもって栄転左遷を問わず」と書いた。裁判官は法と良心に従って判断すべきだという考えだ。

浅沼が私の高校の同窓だと知ったのは最近だ。良心を大切に弱い人に寄り添い、歴史の扉を開いた先輩を誇らしく感じている。


（2021・3・19掲載）

特別収録　石橋湛山ゆかりの地を訪ねる

朝日新聞静岡版と山梨版は、共同企画「訪ねてみました」を連載しています。両県の名所などを訪問する記事で、遠州考筆者が石橋湛山ゆかりの地を訪ねました。両県に深い関係を持つ唯一の首相です。遠州とは直接関係ありませんが、著名な偉人であり、自由主義を考えるきっかけになればと思い、収録しました。

◇

「日本のあるべき姿」思想の源

「植民地を捨て、貿易で生きろ」。小日本主義を主張した言論人・石橋湛山（1884〜1973）は山梨県で育った。戦後、衆院旧静岡2区（富士川以東）で当選し首相になった。小日本主義は単なる反戦反軍ではなく、日本のあるべき姿を説いた体系的な構想だ。ゆかりの地を歩き、思想の源流を探った。

石橋湛山

中学に7年、自由主義に感化

湛山の父は著名な日蓮宗僧侶で、孟子の教えに従って子どもを人に預けて育てた。湛山は10歳の時から約8年間、現山梨県南アルプス市の長遠寺で暮らした。富士山が見え、近くに釜無川（富士川）が流れる場所だった。

「伝え聞くところでは、いたずら好きで活発でした。当時

長遠寺本堂と湛山が暮らしたことを刻んだ碑（手前）＝山梨県南アルプス市

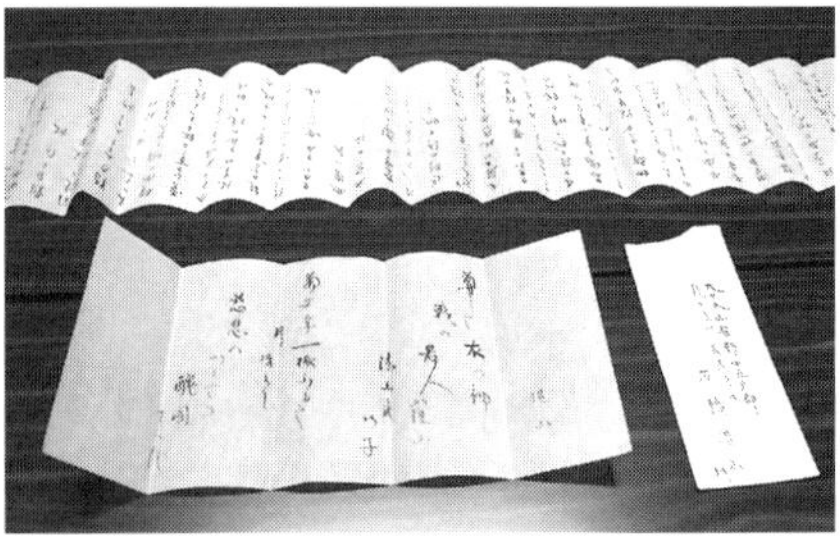

長遠寺に残る湛山直筆の手紙

の住職は細かいことは言わず、自由な発想を許したそうです」と現住職夫人の中村厚子さん（72）は話す。日露戦争があったころ、湛山が反戦を訴えて住職あてに書いた手紙が今も残っている。

　湛山は寺から10キロ余り離れた山梨県立一中（現甲府一高）に通った。年齢が若いこともあり2回留年して7年通ったが、そのおかげで一生を決める出会いがあった。

　7年目に赴任した大島正健校長は札幌農学校でクラーク博士の教育を受けていた。「ビー・ジェントルマン（紳士たれ）」「ボーイズ・ビー・アンビシャス（少年よ大志を抱け）」の精神に触れ、自由主義、個人主義に感化された。二つの言葉は甲府一高で大切にされ、戦後、湛山が揮毫《きごう》し、碑にもなっている。

甲府一高にある湛山書の「ボーイズ・ビー・アンビシャス」の碑。左は崎田哲教頭＝甲府市美咲

一高受験に2回失敗し、早稲田大学文学科に進んだ。哲学者田中王堂と出会い、米国流プラグマティズムを学び、首席で卒業。同級生は「個別能力は凡庸だが、全体は非凡」と評した。

日蓮宗の社会改革への熱意と西洋合理主義が融合し、戦時中は言論弾圧に抗して論陣を張った。湛山の構想と気骨は戦前日本人の白眉《はくび》である。

戦後政界へ、沼津に活動拠点

湛山は戦後、政界に転じたが、46年の総選挙は東京2区で落選した。翌年、旧静岡2区から立候補する。中央線が開通する前、甲府から東京に行くには、富士川を下って沼津を通ったので、一応の地縁はあった。

静岡2区からの立候補を勧めたのは、湛山を尊敬し衆院議員で清水市長も務めた佐藤虎次郎。湛山に沼津市長を戦前に務めた名取栄一を紹介した。

名取は現南アルプス市出身。沼津の繭市場で財を成し、沼津信用金庫を設立した有力者だ。

湛山の書の前に立つ室伏祐厚さん＝三島市日の出町の妙行寺

湛山の選挙に多くの財産を使った。湛山は利益誘導とは無縁だが、２区の人たちは目先の欲得抜きに湛山の見識を熱烈に支持した。

日蓮宗の縁で湛山の秘書を務めた三島市の妙行寺住職・室伏佑厚さん（92）は「名取さんの貢献は大きかった。湛山さんはおおらかな人で、寺で地元の人とよく酒を飲んだが、意見をよく聞いていた」と振り返る。国際協調派の湛山は59年、岸信介首相の反対を押し切って訪中、周恩来首相と共同声明を発表したが、室伏さんも同行した。

沼津の拠点は千本松原にある沼津倶楽部。今はレストランや宿泊施設だが、戦前は在京財界人の別荘、戦後は湛山の宿舎となった。倶楽部理事長の林茂樹さん（82）の父は早大卒の縁で湛山を支援した。

林さんは２０１８年、東大同期で元衆院議員・田中秀征氏と対談した。田中氏は「戦後政治の思想潮流は湛山対岸信介だ。保守本流は小日本主義の湛山、自民党本流は大日本主義で覇権

湛山が支援者と会合を重ねた沼津倶楽部のサロン。
中央は林茂樹理事長＝沼津市千本郷林

主義の岸」と指摘した。

林さんは「湛山の主張が戦前に実現していたら、日本の国際的地位は今とは全く違ったはずだ。安倍晋三前首相は岸さんの孫だが、桜を見る会はじめ不祥事が多く、十分な説明もしない。情けない政治です」と嘆く。（２０２１・３・20掲載）

◆キーワード

〈石橋湛山〉東京で生まれ、その後、山梨県に転居。県立一中、早稲田大学を卒業し、東洋経済新報社に入社。１９４１年社長。47年旧静岡２区で衆議院議員となり、計６回当選。56年12月、自民党総裁選で岸信介を破り首相。病気で翌年２月に辞任したが、潔い進退は高く評価される。52〜68年は立正大学長。主張は自由主義、国際協調。

エピローグ　未来への道筋

「やらまいか精神」よ、後世へ！

やらまいか精神の探究を続けた「遠州考」は今回で終わる。3年前のプロローグは「遠州は天竜川の賜物《たまもの》」の一文で始めた。連載を振り返り、未来への道筋を考える。

語り継ぎたい15人

将来に長く語り継ぎたい遠州人を私見で15人選んでみた。筆頭は金原明善。天竜川流域の治山治水は遠州繁栄の基礎だ。豊田佐吉・喜一郎親子と本田宗一郎は、トヨタ自動車とホンダを作り、日本を代表する産業人。ヤマハ創業者・山葉寅楠は文化を大切にする企業を残した。テレビの父・高柳健次郎は、教え子の堀内平八郎や晝馬輝夫が創業した浜松ホトニクスを残

空から見た遠州。手前が浜名湖、膨らんだ場所が天竜川河口、その先が御前崎＝浜松沖20キロ、本社機から

した。古橋広之進は水泳で敗戦直後の日本人を鼓舞した。本田宗一郎は古橋に触発されて世界一を目指したほどだ。報徳運動からは元掛川市長で戦後遠州最高の教養人・榛村純一を入れたい。

女性自立の画期となった東京女子医大創設者・吉岡弥生、晩年にインドで飛躍して文化勲章を受けた画家・秋野不矩の2人は遠州女性の代表だろう。

アジアに友好の礎を作った人も加えたい。中国の周恩来らを教えた松本亀次郎、台湾に地下ダムを造った鳥居信平、ベトナム留学生支援の浅羽佐喜太郎は貴重な存在だ。偉人は無名の人に支えられたことも忘れてはならない。

遠州の自然条件は温暖な気候、長い日照時間、強い西風だが、歴史的条件は次の通りだ。

江戸中期の賀茂真淵に始まる国学は「学びのネット

ワーク」を生んだ。強大な領主権力の不在が自由を育んだ。江戸後期からの報徳運動は「道徳と経済の融合ネットワーク」を生み、生活文化の向上と起業に貢献した。明治の薩長藩閥政府では栄達は限られ、実業の世界に賭けた。鉄道院浜松工場（現ＪＲ東海浜松工場）や浜松高等工業学校（現静岡大工学部）が技術を底上げした。こうした遠州の一大叙事詩を未来に残すにはどうしたらいいだろうか。

「ユネスコ（国連教育科学文化機関）の世界ジオパークが最適ではないか。ジオパークは地質学を基盤に土地固有の歴史、産業、文化などを保全・活用する取り組みだ」

浜松市出身の静岡大学地域創造学環教授・小山真人（62）はこう提案する。伊豆半島のジオパーク認定（２０１８年）に取り組んだ。遠州も十分な価値があるという。

遠州には北遠から四国・九州に伸びる「中央構造線」という大断層がある。天竜川を中心とした地形の変化が物語を生んできた。天竜川の土砂で作られた自然堤防ができ、「島畑《しまばた》」と呼ばれた。そこで綿花が栽培されて織物の原料となり、織機から楽器、オートバイ、自動車へと機械産業が発展してきた。

小山は「洪水体験はやらまいか精神につながり、金原明善には『何くそ』の思いがあったはずだ。ジオパークは地域の魅力を発見し、誇りを生む。伊豆でも地元を大好きになった子どもがいる。過疎が進む北遠には宝物が多くある」と提案する。

「やらまいか報徳ジオパーク」と体系化して未来につなぐ試みは面白い。

底流に流れる精神

別の視点から考えてみたい。「やらまいか精神」の言葉は遠州発の企業が目立った１９８０年ごろできた。今もその精神はあるだろうか。

浜松市出身で食品ロス事業に取り組み日米を往復するレスレクション綾穂（39）は「やらまいか精神はあまり感じない。米国ではいつ解雇されるかわからないから、知識や技能を常に勉強する。遠州の危機感は薄い」という。

確かに人物や企業の活躍物語は昔より乏しく見える。現在、遠州人で世界的に著名な存在は、ノーベル物理学賞の天野浩、卓球の水谷隼と伊藤美誠くらいだろうか。

私はこう思う。発現形態は時代で違うが、風土は一朝一夕に変わらない。底流に流れる精神はある、と。

日本人の正しいあり方を追究した内村鑑三は「デンマルク国の話」という講演で「戦争でドイツに敗れて土地を奪われたデンマークが、かんがいと植林で豊かな土地を生みだした。戦いに敗れても精神に敗れない民が偉大」と話した。講演「後世への最大遺物」では「後世に覚えてもらうことはなくても真面目なる生涯を送ったことを残したい」と語った。

そう、ささやかでも遠州人らしく生きよう。夢を持ち、決めたら行動する。細かいことを心配するより、策におぼれず一心不乱、猪突《ちょとつ》猛進。人のまねをせず、過剰に空気を読まず、忖度《そんたく》もせず、潔く。

文化を大切にしよう。文化は人と地域と未来を創る。

「遠州考」は若い人のために書いてきた。

遠州の若い衆ら！

やらまいか！

（2021・3・27掲載）

「遠州考」　やらまいか！　メルマガ

——遠州考メイキング

２０１９年４月から「遠州考　やらまいか！メルマガ」を始めました。いくつかのコーナーがありますが、この本では取材の過程や裏話を紹介した「メイキング」コーナーを収録し、新聞記事とともに掲載しました。

朝日新聞　２０２０年４月３日　朝刊　１６ページ　静岡全県

遠州考　92

第21章　浜松・湖西の祭り　1

春4月、例年なら浜松市中心部は5月の「浜松まつり」に向けて高揚していく。しかし今年、新型コロナウイルスの影響で中止になった。静かになった春、浜松市と湖西市の祭りを考える。

遠州考は昨年秋、「中東遠お祭り天国」を5回連載した。中東遠の祭りは屋台中心で神社の祭りである。神事、屋台、おはやし、余興の四つの視点で考えた。

浜松・湖西の特徴は人出200万人の浜松まつりが圧倒的な存在感を持つことだ。しかも神社と結びついていない

去年の浜松まつりでは新元号を祝うたこが舞った。たこは今年、見られない＝浜松市南区の中田島砂丘

拡大の裏　周辺部は担い手不足

祭りの「スゴイもの50撰」ポスターを手にする静岡大の杉山岳弘教授＝静岡大浜松キャンパス

◆遠州考メルマガ（隔週土曜）を配信しています。希望者はensyu-kou@asahi.comへメールで申し込んでください。

——浜松・湖西の祭り①——

２０２０年度は「浜松・湖西の祭り」からスタートします。５月３～５日の浜松まつりをにらんでの時期設定ですが、新型コロナウイルスの影響で中止となりました。あらら、少し残念ですが、静かに祭りを考えられると受け止めましょう。浜松まつりは同じ時期に開かれる博多どんたくと人出が比べられる全国規模の祭りです。しかし、神社と結びついていない市民イベントです。どんたくも同様で、テレビ局がスポンサーになっています。たこ揚げの威勢の良さは、やらまいか遠州の一つの象徴でしょう。しかし、神事がなく、膨張を重ねたという意味で、異形の祭りでもあります。中東遠のような屋台祭りの共通性はなく、浜松の祭りは多様さが特徴です。しかしこれは大規模合併の落とし子。祭りを通じて浜松の文化行政も考えることになります。

―浜松・湖西の祭り②―

北遠を中心とした山間部は今でこそ「過疎」ですが、人は早くから住んでいました。不便だったおかげで古いものが残り、その典型が民俗芸能です。北遠を「お荷物」と考えるか、「宝物」と考えるか。それによって民俗芸能を見る目も違ってきます。浜松市の文化財担当者は「まず自分の目で見て感じること。その上でいろいろ調べて新しいことを知ると感動も増します」とアドバイスしています。最初は何をやっているかよくわからないけど、少しおもしろい。気になった点を調べると「なるほど」と感動も広がります。三遠南信道路が延びて、旧佐久間町中心部まではほぼ高速道路で行けるようになりました。旧水窪町はまだ先です。関心のある方は一度見ることをおすすめします。北遠はかつて磐田郡で、北遠出身者は私の通った磐田市の高校に下宿して通っていました。浜松市との合併がよかったのかどうか。祭りは一つのリトマス試験紙でしょう。

朝日新聞　２０２０年４月１０日　朝刊　１６ページ　静岡全県

遠州考 93

第21章　浜松・湖西の祭り ②

「中世の世界」北遠に脈々と

愛知、静岡、長野の3県が接する三遠南信は「民俗芸能の宝庫」である。この地域の祭りを紹介した「花祭」（1930年刊）は、日本民俗学の古典的名著とされる。北遠の祭りを考える。

著者は愛知県生まれの早川孝太郎（1889～1956）。「問題の地域　天龍川」という物々しい章で始まる。「天龍の地名は何処のどこにも見当たらぬ。ただの川ではない」という古老の話を紹介。中流域が最も山深く、世間と隔絶している天竜川水系の特徴を説明する。

北遠には人が古くから住んだ。伊勢や熊野の修験者が芸能を伝え、厳しい自然が信仰心を育み、不便な土地が古い祭りを残した。「花祭」は愛知県の名称で、旧佐久間町では「花の舞」という。大正時代には7カ所あったが、今は川合と今田の2カ所。共通するのは「中世の世界」だ。

川合は天竜川と大千瀬川が出合う場所で、1日現在89世帯。大千瀬川上流は愛知県の花祭地域だ。「川合花の舞」の起源は鎌倉末期と伝わる。地元の八坂神社で10月の最終土曜日の午後3時から翌未明まで、湯を沸かした大釜の周りで笛や太鼓にあわせて18の舞が続く。

子どもの舞手不足

神社の鍵を管理する「鍵取」と呼ばれる平賀帆三郎(81)は「魅力は一瞬で時代をさかのぼり、舞い手と見る人が一体になって酔いしれること」。課題は小学生以下の舞手をどう集めるか。最大で28人必要だが、川合には2人しかいない。「地域で継続の方法を考えていく」と話す。

過疎は容赦ない。今田は人口減で存続を危ぶむ声もある。花の舞ではないが、江戸時代が起源の「横川歌舞伎」は昨年9月の公演で休止した。保存会長の大沢重夫(72)は「花（寄付）が減って資金難になった。いずれ再開したいが……」と話す。

旧水窪町では奈良時代が起源と伝わる「西浦の田楽」が著名だ。民俗学者の折口信夫が価値を発見し、日本初の重要無形民俗文化財になった。日程は旧暦1月18日の月の出から翌朝の日の出までをかたくなに守る。「能衆」と呼ばれる世襲が担い、前夜や当日の儀式も厳格だ。

先祖が子孫に伝承

今年は2月11日夜から。夜通し見た。気温3度、夜空に雲はない。月明かり、たいまつ、約200人の見物客。柳田国男は見物客の発生を「祭りから祭礼へ」と位置づけ、祭りの変質を指摘した。最近の民俗芸能では説明役も登場するが、西浦では何の説明もなく舞や曲が続く。「見せ物ではなく、先祖から子孫に伝える祭り」という考えだ。

「地固め」「田打ち」「鳥追い」と農作業に関係した演目が続く。夫役やおっかあ役、子授けの儀式もある。時に面をつけ、弁慶や牛若丸も登場して多彩だ。神を山に返す最後の「しずめ」は厳粛である。世襲の子どもたちはほぼ夜通し見つめていた。

故郷で共有した時間と空間は深い記憶を肉体に刻む。人生で困難に陥った時、孤独を感じた時、こうした固有の記憶が自分を励ましてくれる。それが時に信仰心にもつながる。すべての祭りの本質ではないだろうか。　＝敬称略

（長谷川智）

早朝の西浦田楽。子どもたちの記憶に刻まれていく＝いずれも浜松市天竜区

西浦田楽の最後の儀式「しずめ」。多くの見物人が見守る

◆遠州考メルマガ（毎週土曜）を配信しています。希望者はensyu-kou@asahi.comへメールで申し込んでください。

朝日新聞　2020年4月17日　朝刊　18ページ　静岡全県

第21章　浜松・湖西の祭り　③

遠州考　94

引佐の芸能　継続に知恵こらす

今回は旧引佐町（現浜松市北区）を中心に紹介する。大河ドラマ「おんな城主直虎」になった井伊家発祥の地。「ひよんどり」と「おくない」は国の重要無形民俗文化財で、中世文化が残る。継続の知恵を考える。

「引佐町物語」（1966年刊）という本がある。筆者は同町金指出身で、戦前にパリ特派員を務めた元読売新聞記者・松尾邦之助。「火踊り」が転じたといわれる「ひよんどり」について、「将来を誓った男女がこの夜は自由に恋を楽しむことができる」と紹介。劇団たんぽぽを創設した小百合葉子が祭りの夜の自由恋愛で生まれ、「私生児」として生きた人生をつづっている。明治時代ごろまでの風習のようだが、祭りは「性」と結びついていた。

小百合が住んだ川名地区で1月4日夜に開かれる「川名ひよんどり」は、6人の若者が堂の前でたいまつともみあう場面が有名。その後、各種の舞が披露される。起源は1420年代ごろとされ、継続のための手が打たれている。

ちょうちんは電気に

祭りは決まった一族が担うが、保存会長の前嶋功(71)は一族とは関係がない。「昔はあかりにちょうちんを使っていたけど、便利な電気にした。舞の女人禁制も解いた。たいまつともみあう6人の若者も地元にいないので、浜松学院大などから集めている」。

会社勤めが長く、今は東区でメロン販売を手がける。合理的で柔軟な発想が光る。

「寺野ひよんどり」は1月3日午後、三遠南信道路のインターチェンジに近い36戸の寺野地区で開かれる。起源は1570年ごろとされるが、1955年から「古くさいからやめよう」と5年間中断した。しかし、地元の日本画家で日展入選経験もある伊藤信次が、西浦田楽（旧水窪町）を特集した雑誌を目にし、「寺野ひよんどりも価値がある」と復活に奔走した。

長男の八右(70)は小学校6年から能の面作りに励み、浜松市の消防署を定年後は面打ちに専念する。「寺野ひよんどりは昔、夕方から朝までだったが、今は4時間ほど。3匹の鬼が出る場面や真剣を使った舞が見どころ。子どもの舞は小学校と連携して教え、継続していく」と語る。

国際性・中世の息吹

「おくない」は「行い」が転じた言葉で、山を越えた「懐山のおくない」（天竜区）も国の文化財。これらの祭りで語られる言葉は「詞章」と呼ばれ、わかりやすく解説する研究が近年進んでいる。「翁」という曲は、男の老人が中国やインド、日本各地の宝物を紹介し、土地の人々に力を与える祝詞さながら。意外な国際性と奥深く豊かな中世の息吹が感じられる。伝統芸能の新たな魅力である。

200年以上続くとされる「横尾歌舞伎」は県の文化財。10月に地元神社への奉納芸能として開かれる。戦後しばらくは好事家中心だったが、保存会を作って自治会も関わり、担い手が整った。保存会長の高井勇(73)は「衣装から役者まで全部地元で成り立っている。公演はおひねりも飛び、にぎやか。三味線弾きや太夫を育て、細く長く続ける」と意気込む。

次回は浜名湖周辺の祭りを紹介する。＝敬称略（長谷川智）

川名のひよんどり保存会長の前嶋功さん＝浜松市北区

寺野ひよんどりを見て育った伊藤八右さんは面を作る＝浜松市北区引佐町渋川

横尾歌舞伎保存会長の高井勇さん（右）と事務局の高井宣昭さん＝浜松市北区

◆遠州考メルマガ（毎週土曜）を配信しています。希望者はensyu-kou@asahi.comへメールで申し込んでください。

―浜松・湖西の祭り③―

今週は旧引佐町を中心にした祭りです。あまり行ったことがなく、本格的な取材は今回が初めてでしたが、どことなく文化的雰囲気を感じました。井伊家発祥の地だからでしょうか。政治権力が経済力を手にし、文化に投資する例はよくあります。各地の城や京都や奈良の寺社仏閣はこの例ですが、引佐町は民俗芸能へと発展したことが特徴と言えるでしょうか。昔ながらに残すやり方もありますが、時代にあわせて変化させることも重要だと思います。川名と寺野のひよんどり、横尾歌舞伎はその例といえます。その場合、大切なことは祭りの価値を自認することではないでしょうか。寺野が西浦田楽に触発され、価値を発見して復興したことは印象的です。価値は人が決めるものではなく、自分たちが信じて継承する。それが新たな価値や発信力につながると感じます。

――浜松・湖西の祭り④――

4回目の今回は浜名湖畔の祭りです。2〜3回に登場した山の祭りとは全く趣が違います。取り上げた3つの祭りは分厚い報告書が作られ、行間から祭りに賭ける地域の情熱がほとばしってきます。掛川市横須賀では「祢里（ねり）」と呼ばれる屋台が出て、祭り好きを「祢里きち」と言いますが、そんな人がどこにもいます。新居手筒花火の松山智次郎さんもその一人。お隣・舞阪とのタテヨコ文化の違い、合併した湖西との風土の違いを熱っぽく語って頂きました。世界は広いが、遠州も広い！！　地域や祭りが生き残るかどうかは、「祢里きち」がどれだけいるかにかかっているでしょう。舞阪大太鼓祭りが今年、旧暦を断念して土日開催にすることは、ネットを見る限り、中日新聞にも静岡新聞にも載っていない「特ダネ」です。もっとも地元の人はみんな知っていますが……。

朝日新聞　2020年4月24日　朝刊　20ページ　静岡全県

遠州考　95

第21章　浜松・湖西の祭り　4

今回は浜名湖周辺の祭りを取り上げる。歴史や風土に刻まれた多彩な祭りがある。

浜松市西区舞阪町を代表する祭りは「舞阪大太鼓まつり」である。合併前の舞阪町は1999年、272ページの祭り資料集を出版した。その中で「兄弟分と宿」という項目が目を引く。多くが漁師になった舞阪では昭和30年代前半まで、同年配の若者が集うヤドがあった。中高校を卒業すると、町にいくつかあるヤドに集まり、時に泊まる。この絆が祭りを支えた。「兄弟分」の言葉は今も残る。

舞阪の大太鼓は神社の鳥居をやっとくぐれる大きさだ＝浜松市西区舞阪町

兄弟分や上下関係　絆が支えに

祭りの中心は小高い場所にある岐佐神社。安政東海地震（1854）で町民が逃げ、津波の難を逃れたと伝わる。祭りは400年の伝統とされるが、太鼓は明治時代に登場。昭和になると各町が大きさを競い、今は直径2・5㍍。みこしのお渡りは分単位で動く。日程は旧暦9月14〜15日をかたくなに守ってきた。平日開催が多くなるが、小中学校は休みだった。

今年から土日に変更

しかし今年、大きな改革がある。日程を旧暦日に近い土日に変更したのだ。今年は10月31日〜11月1日。今後は10〜11月の土日で隔年動く。今年の年番町の責任者・鈴木新治(64)は「勤め人が多くなって参加者が減ってきたのが変えた理由。担い手が増えるかしばらく様子を見たい」と期待と不安が交じる。

旧新居町を代表する祭りは、手筒花火の「諏訪神社祭礼」。湖西市と合併後の2016年、報告書がまとめられた。あいさつ文には「地域独自の文化や伝統は放っておけば衰微する」「理解しかけたまちに活気、自信、誇りを取り戻したい」と合併の危機感があふれる。

火薬使用を特別許可

新居では「花火を出す」という。祭り当日に手筒花火を抱え持つ人が、お金を出し、2カ月近くかけて花火を作る。竹を切って、煮て、陰干しし、縄を巻き、火薬を詰める。7月の祭り当日は十数秒で燃え尽きる。渡船や関所で江戸幕府を支えた新居が、特別に火薬の使用を許された。民衆の苦役をねぎらい、乱舞する一瞬とされる。

花火は三河地方から伝わったともされるが、報告書の事務局を務めた湖西市観光交流課の松山智次郎(53)は「起源は同時期で、儀礼を残す三河に対し、新居はおおらかに発展した。火を扱うので新居では上下関係が厳しい。兄弟分の舞阪は横の文化だが、新居は縦の文化。今後の課題は、役人と呼ばれる祭り運営者の確保にある」という。

女河八幡宮の神事は少年たちが注目を集める＝湖西市新所の女河八幡宮

湖西の祭りはやや小さめが特徴で、10月に五つの神社である。「女河八幡宮例大祭」は県指定の無形民俗文化財。神事の種類が豊富だ。馬上の3人の少年が7往復する「十列児」、3人の少女が馬に乗る「巫女下」などがある。地区内で輪番に担当する「宿殿」が担い、「行屋」と呼ばれる神社にある小屋を活動拠点とする。これらは近畿地方の影響とされる。

氏子総代の齋藤一郎(61)は「周辺の祭りは同じ日が多いので、見る人は地元中心。見物客は少なくてもみんな楽しみにしている」と話す。神社は浜名湖に面し、屋台も出る。のどかな湖岸の秋祭りである。＝敬称略　（長谷川智）

◆遠州考メルマガ（毎週土曜）を配信しています。希望者はensyu-kou@asahi.comへメールで申し込んでください。

朝日新聞　2020年5月1日　朝刊　15ページ　静岡全県

遠州考　96

第21章　浜松・湖西の祭り　5完

都市と過疎地　連携で強みを

例年ならこの時期、浜松市街では「浜松まつり」を迎えてラッパの音が聞こえている。「浜松・湖西の祭り」の最終回は、浜松まつりと浜松市全体の祭りを考える。

浜松まつりを初めて見た人にとって最も印象に残ることは何だろう。[illegible]はラッパではないだろうか。威勢の良さと軽快なメロディーは「やらまいか浜松」の象徴のように聞こえる。

ラッパの起源は軍隊

浜松市発行の「市制百周年記念誌もももとせ」は、ラッパについて「高射砲連隊の進撃ラッパにちなんだ」と書き、起源は軍隊にあるとする。浜松は戦前、重爆撃部隊が置かれる軍都で中部防衛の拠点だった。たこ揚げ会場に軍の練兵場が使用され、軍とは密接だった。ラッパを吹くならこの歴史も知っておきたい。

「浜松凧揚祭研究会」という団体がある。代表の中村善太(45)は大学の卒論で「浜松凧揚祭史」をまとめた。旧浜松宿で始まって周辺部に影響していく歴史を「祭りは近世共同体が近代胎動期に再編される過程で発生した。その後は国家が国民に求める近代的価値観で成立し、戦後は市民意識を高揚させる装置となった」と分析。祭りが国家の要請と表裏一体で発展したと結論づけた。

東日本大震災直後の2011年、浜松まつりは市長が会長を務める本部のトップダウンで中止が決まった。研究会は「十分な議論がなかった」と問題提起の冊子を作った。中村は「浜松まつりは神社の氏子のような存在がなく、議論する場がなかった」と指摘する。今年の中止は関係者で一応の議論があった。問題提起の成果といえる。

各地区の祭りと併存

旧浜松市の祭りは、浜松まつりと各地区の神社祭りが併存する二重構造にある。

10月の蒲神明宮例大祭（東区）では、地元10町の豪華な屋台が出る。戦後の都市化の過程で浜松まつりへの参加希望が高まり、1町が1986年、たこ揚げに参加。その後は屋台も出す町が続いた。宮司の鈴田直次郎(79)は「浜松まつりへの参加は町の意思に任せているが、秋祭りはしっかりやる。秋祭りではラッパを吹く時間や場所を制限している」と一線を引く。

古く珍しい神事もある。西区の賀久留神社の神楽祭は、ききんをきっかけに豊作を願って室町時代に始まったと伝わる。古い装束で行列する京都の「葵祭」に似ていて、古い衣装をまとった大勢の人たちが粛々と進む。

浜松市は合併で都市部と過疎地を抱え、祭りは「膨張と担い手不足」に二極化している。ともに輝くいい手はないか。今回の取材が佳境だった時、04年の中越地震で壊滅した新潟県の旧山古志村の復興を伝える番組が放映された。地震当時、新潟勤務だったので興味深く見た。カギは「都市との連携」という。都市の住民を工夫して呼び込んで交流し、双方が活力を得た。

浜松もこの手ではないか。都市部と過疎地が祭りの価値を共有して交流する。浜松まつりの場で北遠など市内の祭りを紹介し、担い手としても連携する。合併した浜松固有の強みだと思うが、どうだろうか。　=敬称略

◇

次回は15日付で、「劇団たんぽぽの心」を連載します。（長谷川智）

（上）夜をにぎわす浜松まつりの御殿屋台=浜松市中区　（下）浜松まつりは1977年4月、米国の地理学雑誌「ナショナルジオグラフィック」で特集された。表情が印象的だ

――浜松・湖西の祭り⑤完――

最終回は浜松まつりを中心に考えました。ラッパは軍隊と深く関係しています。定着しているので、目くじらを立てるつもりはありませんが、祭り好きの知人には「身内が戦争で苦しんだので、浜松まつりには行かない」という人もいます。神社の祭りなら笛、太鼓、鉦です。浜松まつりはやはり異質です。周辺部の神社祭りでもラッパが吹かれることもありますが、排除したところもあります。「いろいろな関係を背景にした文化のせめぎ合い」といえるでしょう。浜松まつりの集客力は抜群ですから、過疎の北遠や周辺部とうまく連携できないかと思います。町中の人は周辺部にどこまで興味関心があるでしょうか。一方、周辺部には「浜松は戦国時代からの新しい町」という意識もあって単純ではありません。祭りのおもしろさ、深さ、複雑さ……。去年10月に中東遠の祭りを特集したので、遠州の祭りは一通り触れました。祭りを深めると多くのものが見えてきます。優秀な研究者の登場を期待します。

――劇団たんぽぽの心①――

今回から「劇団たんぽぽ」です。小学校の頃、朝からトラックやマイクロバスが来て舞台を作り、大いに楽しんだことを思い出します。祭りと並ぶ「ハレ」の日でした。静岡県人なら同じ思い出を持っている人も多いと思います。代表の上保節子さんは75歳ですが、若い頃は役者だったそうです。年代を考えると、私は上保さんの演技を間違いなく見ているそうです。創立者の小百合葉子さんの生涯を調べて、たんぽぽの表面しか知らなかったことを恥じました。小百合さんは明るい人でしたが、過酷な人生でした。詳しくは次回以降でお伝えしますが、新型コロナウイルスで劇団は存続の危機にあり、寄付を募集しています。今回の遠州考が存続の一助になればと願って、4回連載します。

朝日新聞　２０２０年５月１５日　朝刊　２０ページ　静岡全県

第22章　劇団たんぽぽの心　1

遠州考　97

地道な公演　全国に誇れる宝

「劇団たんぽぽ」は静岡県人に想い出深い。60年前になるが、たんぽぽ公演は祭りと並ぶ「非日常」の楽しみだった。創設者は小百合葉子（1901～86）。今回の取材でその生涯を知り、深い感動を覚えた。小百合の強い信念に導かれた劇団は全国に誇れる宝だと感じた。しかし今、新型コロナウイルスの影響で公演ができない。劇団は存続の危機にある。永遠の継続を願って劇団たんぽぽの「心」を考える。

劇団たんぽぽを創設した小百合葉子

舞台監督の矢羽田輝伸(64)は、阿蘇山に近い熊本県小国町で生まれた。宮崎県にある旭化成の工員養成所に入り、たまたま見た「にしきのあきらショー」で華やかな舞台照明に魅せられた。退社して東京の映画関係の学校に入った。しかし、生活資金が続かない。演劇雑誌で食事と寝床付きのたんぽぽの団員募集を知り、浜松に来た。21歳だった。

「照明をやりたいなら役者もやりなさい。見えてくるものがあるから」と小百合に言われ、役者もやった。しかし、なまりもあってセリフに苦労した。小百合は朝やって来ると、「セリフが下手で寝ていられない」とぼやきながら、「セリフでウソをついてはいけない。本気で思うことが大切」と教えた。

親子で取る「栄養」

トラックで全都道府県を回った。今は3班あるうちの浜組チーフとなり、舞台監督や役者など何でもこなす。小学生の役をやることもある。

「児童演劇は大人にも子どもにも面白く、親子でいっしょに取る『栄養』だと考えている。喜んでくれる子どもの反応が一番うれしい。地方中心に子どものいる場所に行って地道に公演していることがたんぽぽの強みだと思う」

劇団の誕生は45年の終戦直後。翌年、たんぽぽを名乗った。55年に児童劇団として初めて公益法人格を許可され、「社団法人教育演劇研究協会」となり、今は公益社団法人。小中学校を中心に全国で4・4万回の公演を開催。各種の賞を受賞してきた。

けいこを指導する矢羽田輝伸さん（左）＝3月10日、磐田市上野部のけいこ場

「一生続ける覚悟」

秋山友佳(31)は沼津市出身。小学校時代、たんぽぽの公演を見て演劇に関心を持った。共立女子大に進み、劇芸術を専攻。ミュージカルに憧れたが、社会派の演劇にも興味を持ち、卒業後は文学座の研究生になった。しかし座員になれず、沼津に戻って就職した。

台本の読み合わせで演出家と言葉を交わす秋山友佳さん＝3月11日、浜松市東区の劇団

演劇への思いは断ちがたく、気になっていたたんぽぽのけいこを見るため、浜松を訪れた。「子どもだましならやめる」と考えていたが、真剣な姿勢に感動し入団した。5年ほどいた後、同僚と劇団のあり方をめぐって意見が合わず、1年ほど離れたが、昨年10月に復帰した。

「今は一生続ける覚悟。子どもにも大人にも面白い芝居をしたい。小百合先生に会ったことはないが、すごいエネルギーと心で芝居をする教えに学びたい」

小百合は裕福な家に育ったが、差別と偏見に苦しんだ。曲折を経て児童演劇にたどりつき、どんな子も劇を見て夢を持って欲しいと全国を回った。次回は小百合の生涯をみる。

＝敬称略（長谷川智）

◆劇団たんぽぽは、存続のための寄付金を募集しています。振込先は「浜松磐田信用金庫[illegible]支店　普通0171801　公益社団法人教育演劇研究協会」。問い合わせ先は053・461・5395。

——劇団たんぽぽの心②——

今回は小百合葉子さんの生涯です。生まれた滝沢に行きましたが、新東名の北側にあって今でも山の中です。町中の西遠女子学園に進学するだけでも当時としては大変なことだったでしょう。前途洋々のはずの未来に立ちはだかったのは、私生児の戸籍と身内のハンセン病でした。偏見と差別そのもので、過酷な時代だったと思わざるをえません。彼女のバイタリティーは生来のものでしょう。浜松を出てから、大阪市役所に勤め、失意で沖縄に行こうと思い、その後は東京で演劇の世界に飛び込みました。子どもも大人も楽しめるたんぽぽの劇やへき地を含めて全国各地を回った活動は、彼女の生涯と無縁ではない、というより、若い時の辛い体験そのものから生まれたと感じます。

朝日新聞 2020年5月22日 朝刊 20ページ 静岡全県

遠州考 98

第22章 劇団たんぽぽの心 2

逍遥との出会い 大きな自信に

小百合葉子は1901年、都田村滝沢（現浜松市北区）の旧家に生まれた。山あいの集落で、本名は山下みえ。母の実家は4キロほど離れた伊平村川名（同）でこちらも旧家。不自由なく育った。

私生児だった小百合

父が亡くなって母は実家に戻った。小百合も8歳の時、母を追って家出をし川名に移る。小学校を出て、浜松実科高等女学校（現西遠女子学園）に進み、寄宿舎に入った。利発で活発だった。先生になるため師範学校への進学を考え、戸籍謄本を取り寄せた。そこで出生の秘密を知り、大きな衝撃を受けた。私生児と記されていたのだ。

川名には「ひよんどり」という正月の祭りがある。今は国の重要無形民俗文化財。祭りの夜に結ばれた男女は親も許さなければならないという風習があるが、小百合の父母はこの日結ばれた。しかし父母ともに一人っ子の跡取りで、結婚は許されなかった。小百合は父が認知した私生児となった。

私生児は師範学校に入学できない法律があったかどうかははっきりしないが、小百合は憤った。創立者で校長だった岡本巌に「学校をやめる。日本一の不良になる」と言い放った。岡本はしばらく黙った後、「卒業してから日本一の不良になったらどうか。応援するよ」といった。意外な答えに涙を流し、思い直す。

師範学校進学を断念した小百合に女学校卒業のころ、縁談があったが、破談になった。身内にハンセン病患者がいたからだ。当時、遺伝する病気だと信じられていた。

小百合は大阪に出て、大阪市役所に見習いで入った。本採用の話が出たが、ここでも戸籍が障害になった。

失意の小百合は沖縄に行こうと決意。沖縄にはハンセン病患者が多いと聞いていた。市役所の同僚だった男性と船が出る神戸まで行ったが、男性から結婚を申し込まれ、逃げ出した。三重・四日市に行き、服毒自殺未遂で病院に担ぎ込まれた。

新劇女優として活躍

その後、小百合は東京で演劇をしようと思い立った。22歳ころである。新宿のカフェで働き、若き日の舟橋聖一、井伏鱒二、小林秀雄、西条八十、堀内敬三らと出会った。特に作家の舟橋の支援は大きく、演出もしてくれた。小百合葉子の芸名で新劇女優として頭角を現した。

美人で頭が良く、気っぷもいい小百合は人気があった。浅田飴オーナーの三男として東京・神田に生まれた堀内とは恋に落ちた。堀内は都会的センスに優れた音楽家で、慶応大学応援歌「若き血」の作詞作曲でも知られる。田舎っぽさが残る小百合を何かと手助けした。小百合は戦前の前進座、築地小劇場などに活動範囲を広げた。

大きな影響を与える出会いがあった。29年、早大教授で演劇界の重鎮だった坪内逍遥と早大大隈講堂の地下にある小講堂で会った。70歳を超えていた逍遥は「婦人文化の向上は児童劇であり、家庭である。これらがわからない女性に夢のある子は育てられない」と言った。小百合は早稲田児童劇研究会に入会し、演劇指導を受けた。「逍遥の直接の弟子」を自認し、大きな自信となった。

＝敬称略（長谷川智）

早稲田児童劇研究会に所属した頃の小百合葉子＝浜松文芸館所蔵

坪内逍遥を囲んでの本読み風景。中央が逍遥、左後方が小百合葉子＝「たんぽぽの花は野に山に」から

◆劇団たんぽぽは、存続のための寄付金を募集しています。振込先は「浜松磐田信用金庫積松支店 普通0171801 公益社団法人教育演劇研究会」。問い合わせ先は053・461・5395。

――劇団たんぽぽの心③――

劇団たんぽぽの誕生と飛躍の物語です。沖縄からの研修派遣の教師が「この芝居を沖縄の子に見せてやりたい」と言い、小百合が「よろしゅうございます。まいりましょう」と答えた場面。沖縄公演の直前に道場が全焼した時、小百合が「決行しますよ。人間、こうと決めたら突き進んでいくしかないのよ」と言う場面はいいですね。遠州人らしい、ぐだぐだ考えず、前に進む精神を感じます。気っぷの良さ、潔さは、リーダーの大切な資質だと思います。公演場所が、静岡、長野、愛知のあとに沖縄、北海道と続くのは驚きます。今よりはるかに交通が不便な時代、しかも舞台装置をトラックで運ぶのですから、考えただけで疲れます。人がやらないことをやる。「やらまいか精神」の神髄でしょう。

朝日新聞　2020年5月29日　朝刊　22ページ　静岡全県

遠州考 99

第22章　劇団たんぽぽの心 [3]

戦後旗揚げ 沖縄公演に力注ぐ

1953年11月12日付の沖縄の地元紙は劇団たんぽぽの到着を大きく報じた

◆劇団たんぽぽは、存続のための寄付金を募集しています。振込先は「浜松磐田信用金庫城松支店　普通0171801　公益社団法人教育演劇研究協会」。問い合わせ先は053・461・5395。

――劇団たんぽぽの心④完――

「来る者は拒まず、去る者は追わず」。これが劇団たんぽぽの方針のようで、団員は常に入れ替わりがあります。1回目に登場した2人の取材をした後、「一体どんな人がいて、どう考えているのだろう」と思い、全員アンケートをしました。全国さまざまで、出身地は静岡県が多少多いようですが、入団の理由もそれぞれでした。しかし、小百合葉子さんのメッセージや劇団の課題への共通認識はありました。コロナ禍がなくても劇団は転機を迎えていました。小百合さんを知る世代が高齢化し、少子高齢化の中で公演数を増やすのは難しく、公演料は人数に応じて受け取るので収入は減る傾向にありました。コロナ禍は2波、3波が予想されています。学校での公演は「3密」で、学校側も慎重に対応するでしょうから、正常化のメドは経済活動再開より遅くなるとみられます。母校の西遠女子学園は募金を始めるようです。劇団の行方は今後も注目したいと思います。なお今回で遠州考がちょうど100回です。

朝日新聞 2020年6月5日 朝刊 20ページ 静岡全県

遠州考 100

第22章 劇団たんぽぽの心 4完

宝守るため 今こそやらまいか！

劇団たんぽぽのけいこ場には小百合葉子さんの写真が飾られている＝浜松市東区

◆劇団たんぽぽは、存続のための寄付金を募集しています。振込先は「浜松磐田信用金庫積松支店 普通0171801 公益社団法人教育演劇研究協会」。問い合わせ先は053・461・5395。

――奇跡の斎藤塾①――

今や大手の受験予備校が存在感を示していますが、かつて私塾があちこちにありました。私も中学時代、掛塚から天竜川を越えて河輪の「大伊塾」に同級生と通いました。周辺ではそこそこ有名な塾で、間違うとしりをムチで叩かれました。しかし、あくまで受験塾で、1年半ほど通い、多くの友人と結託していっしょに止めました。その夜、友人に「塾に行ってないよねえ」と電話をして確かめたことを思い出します。情けないというか、いやだったのでやむを得ないというか……。「斎藤塾」はそのころ聞いたことがある気もしますが、英英辞典を使って一般教養みたいなことを教えていることは知りませんでした。「どうしてそんな塾に親が行かせたんだろう」という疑問が取材の出発点です。受験一本の今なら考えられないことで、「昔の親は偉かったんだ」という声も聞きました。4回の連載で考えます。

朝日新聞　2020年6月12日　朝刊　20ページ　静岡全県

遠州考　101

第23章　奇跡の斎藤塾　1

まるで大学の教養　教え子3000人超

大正から昭和にかけて、浜松城近くに「斎藤塾」という私塾があった。塾長は斎藤謙三（1890～1984）。受験塾ではなく、授業は大学の一般教養に近かった。今思えば奇跡のような塾がなぜ存在したのか。教育と人作りを考える。

塾長だった斎藤謙三氏。昭和40年代

中学生に英英辞典

城に近い田町に住んでいた三輪善次郎(74)は、静岡大付属浜松中に入学した1959年、塾に入った。塾は浜松市立中央図書館の西側にあった。斎藤から週3回、各1時間半の英語を教わった。

教材は英語で書かれた文法の本、歴史書、文学書など。訳す時に使った辞書は「COD」・「コンサイス・オックスフォード・ディクショナリー」という分厚くて重い英英辞典だ。次々と質問され、間違っていれば頭をしゃもじでたたかれたり、「注射」と言ってつねられたりした。

三輪は「授業は脱線の連続。文法の話が、英米の歴史や文化、プラトンやシェークスピアに飛ぶ。英英辞典にある単語の話を聞き、おもしろかった。正解を答えるとうれしかったが、答えられないと悔しく、他の人が正解すると刺激になった。予習が必要だった」と振り返る。

斎藤は圧倒的な知識を持っていただけでなく、金や権力に左右されない人格も魅力だった。「ふやけた金持ちを嫌い、貧しい家庭の子を大切にした」と三輪は言う。斎藤の死後に出された追悼本で、中学教師になった卒塾生が「私は貧しく、病弱で、内気だった。家族が亡くなり、親戚をたらい回しにされた。しかし、月謝を免除してもらい、目をかけてもらった。塾がオアシスだった」と書く。

三輪善次郎・日管社長。訪問者には本棚の本を贈る＝浜松市中区の日管本社

多くは難関大学に

塾は1917（大正6）年、斎藤が26歳の時に田町で始まった。戦後、図書館に隣接する松城町に移り、亡くなる前年の83（昭和58）年まで続いた。卒塾生は3千人以上。多くは難関大学に進み、学者、医者、官僚、企業人、教師などになり、浜松市長に就任した人もいる。

塾には数学もあり、藤田敏男が教えていた。斎藤と違って、温厚だった。幾何の問題の切れ味鋭い教えが、多くの記憶に残っている。

三輪は浜松北高1年の末、大学受験のため塾をやめた。受験技術は塾で教わっていなかったが、頭が刺激で鍛えられたためだろうか、受験勉強はスムーズで東大経済学部に合格した。4歳違いの兄も塾で学び、東大農学部から農林官僚になった。

斎藤塾の評価は礼賛一方というわけではない。しゃもじでたたいたことは、今なら体罰と言われかねない。塾で得た知識を学校でひけらかし、教師や同級生に敬遠されることもあった。脱落した人も多い。

三輪は東大で応援部に入った。法政に田淵幸一、明治に星野仙一がいた時代。神宮球場に通った。父が創業した管工事会社の「日管」を継ぎ、社長を務める。

「大学で学問はやらなかった。金もうけに興味があった。いい教え子ではないね」と笑うが、今も読書好きだ。社長室には読んで欲しい本が谷島屋書店（浜松市）の包装紙付きで並び、来訪者に贈っている。

次回は斎藤の思想や人格、知識の形成を追う。＝敬称略

（長谷川智）

◆昨年度の記事を収録した「遠州考Ⅱ やらまいかを探る」が本になり、書店とネットで販売中です。
遠州考メルマガ（週1回）の希望者はensyu-kou@asahi.comにメールで申し込んで下さい。

――奇跡の斎藤塾②――

斎藤謙三塾長の前半生を追いました。生来の性格が人との出会いや体験で研ぎ澄まされたということでしょうか。英語の大家・斎藤秀三郎に学問への取り組みを学び、岩波茂雄の平和リベラリズムに感化され、キリスト教でヒューマニズムに目覚め、豊橋高等女学校の天皇御真影事件で権力への嫌悪が生まれた……となりますが、本人が聞けば「そんなに簡単にまとめるな」としゃもじで叩かれそうです。遠州考の記事でいつもカギになるのが、参考文献、信頼できる「ネタ本」です。今回は４００ページ近い追悼本を参考に取材しました。基本データや卒塾生の追悼文が載っています。この本がなければ塾生をたどること自体、不可能でした。高校の先生をずっと続けていれば、塾もやらず、追悼本もなかったでしょう。最近は終活で自分史をまとめる動きが活発になっています。記録なければ歴史なし、です。

朝日新聞　２０２０年６月１９日　朝刊　２４ページ　静岡全県

遠州考 102

第23章　奇跡の斎藤塾 2

英語学校・岩波茂雄との出会い 礎に

14歳で東京の学校へ

斎藤塾の教室。大教室で生徒は次々と指名された＝浜松市中区

書見台を使って本を読む斎藤謙三氏

◆昨年度の記事を収録した「遠州考Ⅱやらまいかを探る」が本になり、書店とネットで販売中です。
遠州考メルマガ（週１回）の希望者はensyu-kou@asahi.comにメールで申し込んで下さい。

――奇跡の斎藤塾③――

受験塾ではない斎藤塾がなぜ成立したのか。この問いが取材の出発点で、「奇跡の斎藤塾」というタイトルの由来です。背景がわかってきました。

東京で知識人に出会った斎藤は、戦前に「浜松の啓蒙家」と言われるほどになり、有力者の信頼を得ました。その子弟が入塾し、紹介が必要だったので、優秀な生徒を集めることができました。多くが難関大学に合格したため、戦後も有利な位置を占めたようです。受験競争のピークは団塊の世代の時代と思われますが、その時も斎藤塾はしっかり存在したわけです。今は少子化で競争は緩くなっているはずですから、斎藤塾のように広く教養を教える塾があっていいように思いますが、大手予備校が幅をきかせています。原因は予備校か、親・生徒か、それとも学校か。考える価値がありそうです。

―― 奇跡の斎藤塾④完 ――

「奇跡の斎藤塾」は今回で終わりです。斎藤塾長は、自らの人格と本（知識）で若者を鍛え、覚醒させたと言えるでしょう。「覚醒」は教育の本質的価値だと思います。卒塾生には朝日新聞の先輩記者もいて、取材先が少ない場合は、話を聞こうと思いましたが、その必要はありませんでした。自分の学校時代の先生を振り返ってみたくなりました。中学校までは人格がより重要で、高校から知識の比重が増える気がします。人格は立派でなくても、生徒を信頼する、寄り添うという姿勢がとても大切だと思いますが、「とんでもない人もいたなあ」と思い出しました。最近は人文系の教養が軽視される傾向にありますが、実用知識だけでは将来は危ういでしょう。元東京学芸大学長で大日本報徳社（掛川市）の社長が、そのあたりを機関誌に書いています。

朝日新聞　２０２０年７月３日　朝刊　１８ページ　静岡全県

第23章　奇跡の斎藤塾　4完

遠州考　104

孤立恐れない生き方　尊ぶ教え

図書館活動に没頭

人文学的な気風も

塾の教材となった英英辞典を手にする小栗勝氏

斎藤謙三氏の文集目録を手にする鈴木正之氏

浜松市立中央図書館の碑。元浜松市長の斎藤謙三氏が書いた＝いずれも浜松市中区

◆昨年度の記事を収録した「遠州考Ⅱやらまいかを探る」が本になり、書店とネットで販売中です。遠州考メルマガ（週１回）の希望者はensyu-kou@asahi.comにメールで申し込んで下さい。

国鉄浜松工場の光芒①

今回から「国鉄浜松工場の光芒」です。後発資本主義国の日本は、政府にヒト・モノ・カネを集中させ、欧米列強へ追いつこうとしました。明治・大正期の経済に占める政府の存在感は圧倒的です。

朝日新聞　2020年7月10日　朝刊　24ページ　静岡全県

遠州考　105

第24章　国鉄浜松工場の光芒　1

誘致運動 町民150人の陳情実る

JR東海浜松工場（浜松市中区南伊場町）は1912（大正元）年、政府の鉄道院工場として発足した。戦後、国鉄を経て民営化された。現在は新幹線の点検・修理（検修）専門で、世界の高速鉄道の最先端である。「光芒」は細長く伸びた光を意味する。国鉄浜松工場が遠州にもたらした光を考える。

「発展へ強烈な思い」

「国鉄浜松工場の歴史は鉄と人との闘いの歴史である」

工場創設40周年で出版された「四十年のあゆみ」は大げさとも思われる一文で始まる。当時、鉄道は国策の中心であり、先端技術だった。欧米列強に追いつこうという日本にとって、国の威信をかけた闘いの現場だった。

新橋—横浜間で始まった鉄道建設は06年の鉄道国有法で国営となった。政府は東海道線の検修工場として名古屋と浜松を候補地とした。しかし、名古屋に適地がなく、浜松が浮上。浜松町長だった鶴見信平は誘致運動に乗り出し、候補地の買収に動いた。広さは約100万平方㍍。価格をめぐって当局と地主で紛争があったが、町民の寄付でまかなった。現浜松西高近くの三方原台地を削り、埋め立て工事をした。ところが、鉄道院内部で「浜松は再考すべきだ」という方針が出され、工事は中断した。

当時の様子について、浜松の歴史を研究する伊東政好(82)はこう解説する。「明治維新後、浜松県が置かれたが、静岡県に合併した。県庁や医学校が消滅し、浜松は強い危機感を抱いた。遠州の中心都市として発展させたいという強烈な思いがあった」

浜松町民は動いた。09年2月、150人の陳情団で桂太郎首相に直訴することになった。しかし、日露戦争後の鬱憤で各地に暴動があり、警察は集団陳情を禁じていた。このため陳情団は東海道線の掛川から新居町間の各駅から分乗。東京の日比谷公園に結集した。警察に阻止されて陳情は代表者に限られたが、すぐに鉄道院総裁の後藤新平が浜松を訪問。工場用地は当初の3分の1に縮小して建設が決まり、陳情は実った。

国策投資で技術飛躍

浜松の町づくりの原型がここにある。戦前の陸軍、浜松高等工業学校（現静大工学部）、戦後の新幹線駅や浜松医科大を町ぐるみで誘致し、先回りして用地買収することもあった。「やらまいか市政」と言える官民一体の積極性が際立った。

工場は蒸気機関車の修繕工場として始まったが、すぐに転機が訪れた。機械を作る工作機械の自製、国産蒸気機関車（後のC51）の製造に乗り出したのだ。第1次世界大戦で自立を迫られたためだ。国策投資は浜松の技術力の飛躍に大きく貢献した。

「近代日本資本主義史研究」の著書がある静大名誉教授の山本義彦(76)は「当時、浜松の織機産業は草創期だった。最先端の鉄道工場ができ、多くの下請けや職人が育成されていった。後の軍需で機械や資本を蓄積し、戦後のオートバイの隆盛へとつながった。浜松では在来産業に官営工場が加わって自家製の産業革命が起きた。全国でも珍しい例だ」と指摘する。

＝敬称略（長谷川智）

上1909年、東京・日比谷公園に集まった浜松の陳情団
下1915年、創立3周年の記念写真。機関車の雷づりが威圧する
＝いずれもＪＲ東海浜松工場100年史から

◆昨年度の記事を収録した「遠州考Ⅱやらまいかを探る」が本になり、書店とネットで販売中です。
遠州考メルマガ（週１回）の希望者はensyu-kou@asahi.comにメールで申し込んで下さい。

そんな「官」を呼び込もうと、浜松の住民は体を張りました。東海道線の各駅から分乗して日比谷公園に集結するとは、すごい執念とエネルギーです。連載は国鉄工場が遠州にもたらした波及効果が第一のテーマですが、浜松の町づくりもテーマです。「官」をテコに戦後の「民」の飛躍につなげたのは、偶然の要素もありますが、都市戦略としては成功でしょう。浜松県の廃止がバネになりましたが、遠州、駿河、伊豆が統合されなければ、ちょうど北陸3県のようになっていたはずです。こちらも興味深いテーマです。

――国鉄浜松工場の光芒②――

戦前の浜松工場長はほとんど東京帝国大学工学部出身です。これに対し工員は全国各地からの寄せ集め。市民は最初、風紀の悪さに戸惑ったようです。それでもすぐに世界一流になったのはすごいことです。「浜松工場は遠州に大きな技術の波及効果を及ぼした」と言われますが、実は資料は多くありません。しっかりした形で残っているのは、記事に取り上げた旧庄田鉄工所などわずかです。まさに「記録なければ歴史なし」です。北寺島や竜禅寺、砂山など駅南が工場地帯、技術の苗床でした。かつて浜松工業高校もありました。掛塚が実家なのでこのあたりはよく通りますが、今はマンションが目立ちます。農家の次男坊らが威勢よく競い合い、励まし合った姿を想像します。

朝日新聞　2020年7月17日　朝刊　20ページ　静岡全県

遠州考　106

第24章　国鉄浜松工場の光芒　2

輸送産業発展させた「技術の苗床」

1912（大正元）年に創立された鉄道院浜松工場は、混乱を経ながら国内有数の工場に成長していく。

初代工場長は小林定熙。東京帝大を卒業し長野工場長などを歴任。「開拓者は土地に骨を埋める覚悟がなくては成功しない」と浜松に赴任し、2年5カ月務めた。

修繕42日で世界一に

工員は東京・新橋から271人、沼津から260人、三島・四日市から100人など各地鉄道院工場から寄せ集めた。渡り職人たちは派閥を作る。40周年記念誌には「従業員の気風は悪く、昼休みに酒を飲み、けんか、盗難が連日起こる」と記され、市民のひんしゅくをかった。

時間がたつにつれて福利厚生が充実した。更衣所、浴場、食堂、職員の日用品の購買部門、診療医がいる治療所が作られ、一つの町を形成した。少年工のための技能養成制度も整備され、工員の行動も落ち着いた。国鉄工場となって日本軍のシベリア出兵に伴って鉄道敷設で浜松工場から27人が派遣された。給料は5倍支給されたが、木工員1人が病死した。

昭和に入って工場の技術は一流になった。修繕は期間の短さを競うが、浜松工場は4・2日という記録を樹立。約2週間で世界一と謳われたドイツをはるかに上回った。発明考案で鉄道大臣表彰を受ける人も続出。30年5月には昭和天皇が浜松工場を行幸した。鉄道関係では初めてとされ、名声が高まった。

巣立った人材が起業

工場から巣立った人材も少なくない。庄田鉄工所（現SHODA、本社・浜松市北区）を設立した庄田和作（1898～1972）もその一人だった。

金沢郊外の村に生まれ、貧しい家庭に育った。京都の鍛冶屋で修業した後、鉄道院金沢工場に就職。浜松工場が蒸気機関車の製造を始めることになり、集団転勤で浜松に来た。庄田は社内報に「人口14万の金沢市に比べ浜松はわずか6万。市になったばかり」と町の寂しさを嘆く。

和作は小さい頃から機械いじりが好きで工場で特許を取った。「成績がよかったようで小遣いはありあまった」という。3年ほどで工場を辞め、独立して会社を設立。当時の客車には木が多く使われており、木工用の工作機械に進出した。同社は戦後、コンピューターによる数値制御の木工機械「NCルータ」で世界的企業になった。

孫で社長の庄田浩士(53)は「祖父は私が5歳の時に亡くなり、優しい印象しかない。技術で人を幸せにするという創業者の精神を引き継ぎたい」と話す。

和作は浜松駅南側の北寺島町に会社を構えたが、一帯には多くの町工場ができた。加藤鉄工所もその一つで、最初の旋盤を本田宗一郎経営のアート商会浜松支店に納めたことでも知られる。

名古屋学院大で浜松産業史を研究した藤田泰正(64)は「農家の次男や三男が浜松工場に勤めた。退職して鉄工所を経営し、技術の苗床となった。技術は軍需で底上げされ、戦後の競争で浜松の輸送産業が発展した。技術の地下水脈として浜松工場の果たした役割は大きい」という。＝敬称略（梶谷[illegible]）

◇

次回は31日付です。

昭和初期の工場全景。高さ40メートルの煙突がシンボルだった＝JR東海浜松工場100年史から

SHODAの庄田浩士社長と創業者で祖父・和作氏の胸像＝浜松市北区

◆昨年度の記事を収録した「遠州考Ⅱやらまいかを探る」が本になり、書店とネットで販売中です。遠州考メルマガ（週1回）の希望者はensyu-kou@asahi.comにメールで申し込んで下さい。

――国鉄浜松工場の光芒③――

これまでは産業史的な話が中心でした。今回は、写真こそ2枚とも車両ですが、記事は文学関係の話題が多くなりました。戦争体験者は当時を五感で覚えており、爆弾の音の違いに敏感です。いきなり爆弾が落ちてくる7月29日の艦砲射撃の恐怖は多くの人に共通です。ちょうど75年前です。戦後、多くの労働者が文化に親しみ、工場は発信拠点にもなりました。まさに戦後民主主義です。平山喜好さんの貢献は大きく、1回目で紹介した「浜松工場の歴史は鉄と人との闘いの歴史である」という40周年史の最初の一文は平山さんが書いた気がします。周年史のような記録でも魂のこもった表現は強く印象に残ります。平山さんは通常勤務のかたわら周年史を何回も手がけました。刊行後に希望の部署に異動させるという上司の約束が反故になり、それを恨む文も書いています。当時の国鉄の体質でしょうか。

朝日新聞　２０２０年７月３１日　朝刊　２０ページ　静岡全県

遠州考 107

第24章 国鉄浜松工場の光芒 3

苦難と復興の歴史 働く者がつづる

鉄道院が鉄道省になり、浜松工場は1942年から7年余、鉄道省浜松工機部に改称された。今でも「工機部」と呼ぶ年配者もいる。戦中と戦後の工場の苦闘を追う。

空襲で壊滅的被害

「遠い日記」という89年刊の自費出版本がある。工機部に勤めていた川合照子が作家早乙女勝元の励ましで書いた戦中戦後の日記である。

照子は親の反対を押し切って43年から工機部で働いた。空襲が激しくなると、「命ある者は出勤せよ」という上司の命令で通った。「ブルンブルン」と飛ぶB29、「ヒルヒルヒルー」と落ちてくる爆弾、「タタタ――」という艦載機からの機銃掃射、空襲警報もなく「ドッスーン」と音がした艦砲射撃。焼死体は終戦後の冬になっても残り、「遠州の空っ風が吹き、焼死体にかぶせてある焼トタンがカランカランと吹き飛んで行く」と書く。工場は壊滅し、殉職者も出た。職員が復旧に尽くした結果、存続が決まった。照子も安堵《あんど》する。

戦中、蒸気機関車D51が69台、浜松で製造された。鉄道省全体では228両だが、浜松が最も多かった。JR山口線の現役D51は浜松製だ。

1937年、浜松工場で最初に製造されたD51。はままつフラワーパークに展示されている＝浜松市西区

戦後復興は急速に進み、昭和天皇が46年6月、激励のため視察。翌年には片山哲首相から鉄道工場として唯一、表彰された。こうした様子は川端康成が編集責任者に名を連ねる小学校6年生の国語教科書（大阪書籍、53年刊）にも取り上げられた。「浜松工場の努力は、歴史的な業績であると言えるであろう。内閣総理大臣は、他の例のない表彰を行った」と書かれている。

49年、日本国有鉄道（国鉄）が発足し、浜松工機部は浜松工場に戻った。ディーゼル化や電化に伴ってあらゆる種類の機関車を扱った。

「浜工文学」編集も

高度成長期になると、東京と下関間を9時間で結ぶ戦時中の弾丸列車計画が再浮上。58年に東海道新幹線の建設が決定した。浜松工場は新幹線の検修工場に名乗りを上げた。59年に国鉄総裁十河信二が浜松工場を訪問すると積極的に働きかけ、「建設的な意見を受け、うれしく思う」と言わせた。62年、全国唯一の新幹線工場となった。

初期の新幹線検査風景。0系電車の丸い先頭部分が懐かしい＝1967年5月、現浜松市中区

浜松工場が働く者の文化向上に果たした貢献にも触れたい。文学は戦前、大学や旧制高校を卒業した知識層が担っていたが、浜松工場には俳句サークルや文芸部、コーラスクラブが作られた。48年には「浜工文芸」が創刊され、後に「浜工文学」に改称されて80年まで続いた。

担ったのは軍隊生活を経験した平山喜好。「飢餓の苦しみより、個の圧殺、不自由と屈辱の苦しみが耐えがたかった」と振り返る。小説や詩を書き、浜工文学を編集した。工場の40、50、60年史も担当。工場歌「ひかりとともに」を作詞した。事務職員をしながらの活動だった。

浜松市史は「浜工文学は国鉄内外から高い評価を受けた。ひとえに平山の力」と書く。平山と交流があった静大名誉教授中西美沙子は「文学を至上と考える典型的な文学青年だった。働く者が文学を発表する場を長く維持した貢献は大きい」と話す。

＝敬称略（[illegible]）

◆昨年度の記事を収録した「遠州考Ⅱやらまいかを探る」が本になり、書店とネットで販売中です。遠州考メルマガ（週1回）の希望者はensyu-kou@asahi.comにメールで申し込んで下さい。

―国鉄浜松工場の光芒④―

高速鉄道と遠州がテーマです。島秀雄さんは「新幹線の生みの親」として知られていましたが、浜松工場長だったことは知りませんでした。いろいろ印象的なことを書いたり、言ったりしています。

朝日新聞　２０２０年８月７日　朝刊　２０ページ　静岡全県

第24章　国鉄浜松工場の光芒 ④

遠州考 108

新幹線は既存技術で生まれた

無理なく速く走る

「役割考える必要」

生前の島秀雄さん。1994年６月＝東京都品川区

浜松工場にある昭和天皇の行幸記念碑と6月まで工場長だった小俣裕一氏＝浜松市中区南伊場町

◆昨年度の記事を収録した「遠州考Ⅱやらまいかを探る」が本になり、書店とネットで販売中です。遠州考メルマガ（週１回）の希望者はensyu-kou@asahi.comにメールで申し込んで下さい。

新幹線が既存技術の組み合わせだったこと、リニアモーターカーに慎重だったことは、特に興味深いです。新幹線は最先端技術の粋を集めた印象もありましたが、車輪にモーターをつける、踏切をなくすなど、「コロンブスの卵」だったのかもしれません。リニアは現在、必要論が支配的ですが、島さんの主張は「そんなに急いでどうする」です。「次世代に託す仕事は電気回生とホームドア」と言い、環境と安全を強調した指摘も「なるほど」です。これまでの価値観が一変しそうなコロナ禍の時代、なおさらではないでしょうか。

――国鉄浜松工場の光芒⑤完――

最終回は浜松市政がテーマです。鈴木康友市長はITなど目新しいことに前向きに取り組む印象でした。しかし、国鉄浜松工場誘致以降の市政を調べてみると、別の側面が浮かび上がります。時代の違いを割り引いても、康友市長は手軽で人目を引くことには熱心ですが、面倒な町づくりや未来への投資（文化投資含む）には腰が引けていることです。スズキ会長の支援は有名で、スズキ同様のケチケチです。「スズキ下請け市政の評判だが」と市長に質問すると「スズキの言うことをすべて聞いているわけではない」と答えたので、「スズキ会長の話で断ったことはあるのですか」と聞きました。するとしばし沈黙し、「すぐには思い当たらない」ということでした。「軽自動車メーカー会長に率いられた軽量市政」と言わざるを得ないでしょう。財政健全化は重要ですが、カギは目的と程度です。ITへの取り組みも大切ですが、民間支援目的のIT政策は費用対効果や検証があいまいになります。行政のIT化で民間を主導する骨太さが必要ですが、その気配は薄いと見えます。「やめまいか市政」の罪は、将来さらに顕在化するでしょう。

朝日新聞　2020年8月14日　朝刊　22ページ　静岡全県

遠州考 109

第24章　国鉄浜松工場の光芒 5完

誘致時の行政の熱　今いずこ

2014年、解体前の松菱。左奥にアクトシティのタワーが見える＝浜松市中区

◆昨年度の記事を収録した「遠州考Ⅱやらまいかを探る」が本になり、書店とネットで販売中です。
遠州考メルマガ（週1回）の希望者はensyu-kou@asahi.comにメールで申し込んで下さい。

――森町の孤高①――

今回から森町です。私の担当自治体です。歴史が古くて特産品も多く気になっていましたが、あまり取材したことはありません。今回まとまって取材しました。

朝日新聞　2020年9月4日　朝刊　20ページ　静岡全県

遠州考　110

第25章　森町の孤高　1

独自の世界観 築き上げた小京都

森町は平野と山の境に位置する。遠州唯一の「町」である。平成の大合併を拒否し、掲げる看板は「遠州の小京都」。自然や歴史に特徴があり、独自の風土を形成する。その孤高を考える。

住民投票で合併反対

古い形守る森の舞楽

太田川沿いにある小京都の碑（右）。秋葉神社へ案内する碑も立つ＝森町森

歴代町長の肖像画を背にした森町の太田康雄町長。父も町長で、中央の肖像画が父＝森町の役場町長室

◆昨年度の記事を収録した「遠州考Ⅱやらまいかを探る」が本になり、書店とネットで販売中です。遠州考メルマガ（週1回）の希望者はensyu-kou@asahi.comにメールで申し込んで下さい。

取材しました。印象に残ったことは、記事にも書いた「森史観」。時間軸が1000年単位と長いのが特徴で、「遠州の中心は中東遠、文化と経済の中心は森」が核心でしょう。もちろん、町民全員がそう思っているとはいいませんが、歴史や風土に造詣の深い人の共通認識と言えます。中心にあるのが舞楽です。史観の細かな是非を問う人もいると思いますが、こうした多様な見方があることは楽しく、個人的には好きです。いろんな見方を議論することで、視野を広げ、自分たちの住む地域を考えることにつながるからです。強い磁場・森町の連載は4回です。

――森町の孤高②――

「インテリとがらっぱち」は言い得て妙です。森出身の著名人はとにかくユニーク。文化的風土と荒っぽい祭りの影響だと思われますが、かつて都会で、多様性や新規性に富んでいたことがうかがえます。同調やまねをしないで、自分の信じた世界に生きる、孤立を恐れない人といえます。まつりは役場がある中心部・森の「森のまつり」が有名です。町内には小国神社周辺、水田が広がる田園地帯、袋井に近い飯田周辺、三倉など山間部がありますが、これらの地域も秋祭りに出す森型の屋台があり、壮観です。今回は現存著名人４人が登場しました。本来なら東京や京都で会ってお話を伺いたいところですが、取材がコロナ禍の最悪期と重なり、資料や過去記事も引用して構成しました。残念でしたが、著名人の豊かな個性に助けられました。

朝日新聞　２０２０年９月１１日　朝刊　２０ページ　静岡全県

遠州考 111

第25章　森町の孤高 [2]

インテリとがらっぱちの気質

東京・新宿瑠璃光院に納めた作品「生々流転」の前に座る松井冬子さん。「新境地を開いた」とされる＝2018年、東京都新宿区

自分で書いた屋台の書を背にする杭迫柏樹さん＝2011年、森町

村松友視さん

◆昨年度の記事を収録した「遠州考Ⅱやらまいかを探る」が本になり、書店とネットで販売中です。遠州考メルマガ（週１回）の希望者はensyu-kou@asahi.comにメールで申し込んで下さい。

――森町の孤高③――

遠州考を取材していると、「報徳」によく出会います。鈴木藤三郎も報徳です。報徳が教える「経済と道徳の融合」は、新自由主義的な経済が生きづまり、コロナ禍で人間と自然の関係が見直される時代、輝きを増しています。掛川の報徳出身者に政治家や地域活動家が多い一方、それ以外では実業家が多いことは興味深い現象です。藤三郎とともに活躍した人に今回胸像の写真で紹介した福川泉吾がいます。30年以上前の駆け出し経済記者時代、担当した通産省の事務次官が一族の福川伸次さんでした。大平首相の秘書官も務めました。「僕は森がルーツ」と言っていましたが、今回どんな一族かを知りました。東京で生まれ育ちましたが、今思えば報徳的な雰囲気がありました。仕事には厳しく、普段はやさしく、アイデアと見識のある人でした。

朝日新聞　２０２０年９月１８日　朝刊　２４ページ　静岡全県

遠州考 112

第25章　森町の孤高　3

近代の起業家生んだ報徳運動

「日本のデンマーク」

氷砂糖の国産実現

鈴木藤三郎の死後100年の2013年、森町の訪問団が旧台湾製糖工場を訪れた。中央の観音像は藤三郎が建てた＝台湾高雄市

◆昨年度の記事を収録した「遠州考Ⅱやらまいかを探る」が本になり、書店とネットで販売中です。遠州考メルマガ（週１回）の希望者はensyu-kou@asahi.comにメールで申し込んで下さい。

――森町の孤高④完――

最終回は経済力と小京都の未来です。３年前に遠州に赴任した時、夕方のテレビニュースで森のトウモロコシの特集を見て驚きました。甘々娘です。朝暗いうちから大勢のお客さんが農園に買いに集まる様子は圧巻でした。圃場整備や育成の試行錯誤の結果と聞いて、感動しました。森の繁栄を支えたのが、お茶をはじめその時代の特産物でした。小京都の基盤となりました。現在、小京都を感じさせるのは小高い山と太田川で、借景にはもってこいです。しかし、町並みは魅力に乏しく、寺社の風情もいま一つです。新東名の開通で企業進出を期待しましたが、成果はこれからです。宿泊施設もほとんどありません。甘々娘に続く特産物や有力企業の登場で、いずれ名実ともに魅力ある小京都になることを期待しています。

朝日新聞　２０２０年９月２５日　朝刊　２２ページ　静岡全県

遠州考　113

第25章　森町の孤高　4完

お茶や治郎柿　町支えてきた産業

知名度高めた仕掛け

トウモロコシに脚光

森山焼の松井晴山さん

◆昨年度の記事を収録した「遠州考Ⅱやらまいかを探る」が本になり、書店とネットで販売中です。
遠州考メルマガ（週１回）の希望者はensyu-kou@asahi.comにメールで申し込んで下さい。

朝日新聞　2020年10月2日　朝刊　22ページ　静岡全県

第26章　佐吉と湖西　1

遠州考　114

豊田佐吉は幕末1867（慶応3）年、現湖西市で生まれた。亡くなったのは1930（昭和5）年、63歳だった。「発明王」「トヨタグループ創始者」と形容され、日本を代表する偉人である。佐吉と湖西の因果を考える。

2018年1月、首相の安倍晋三は施政方針演説で3人の偉人を取り上げた。戊辰戦争時、朝敵の白虎隊の一員で、後に東京帝国大総長に登用された山川健次郎。そして遠州の金原明善と豊田佐吉。佐吉は「愛知に生まれた小規模事業者」と紹介された。

エピソードを発掘

湖西の「佐吉翁に学ぶ会」会長・村松捧次(81)は憤る。「湖西出身という事実が認知されていない。川勝平太知事が湖西に来る機会があったので、訴えた。知事も内閣に確認すると怒っていた」。佐吉は愛知で起業したので、首相は起業の地を紹介した可能性もあるが、地元が不満を持つのは当然だろう。

学ぶ会は2017年の佐吉生誕150周年をきっかけにできた。活動の柱は「佐吉検定」。3級からあり、「佐吉の愛読書となったスマイルズが書いた本は」といった問題が出る。去年は記述式の1級ができた。今年は論文式の博士級を実施する予定だったが、コロナ禍で延期した。村松は「佐吉のエピソードはまだ湖西に残っているので、発掘できる。地元の関心を高め、佐吉のあきらめない精神に学びたい」という。

長い歴史を持つのが「湖西少年少女発明クラブ」だ。設立は1976年。月2回程度、小学生向けの発明教室を開いている。開講式は佐吉の生家で開き、発明展や絵画展がある。佐吉命日の10月30日は、トヨタ自動車社長・豊田章男らグループ幹部や湖西市長が参加し、佐吉顕彰祭と発明クラブの表彰式がある。

検定や発明教室　精神つなぐ地元

㊤自ら文章を書いた「佐吉の日めくり」を手にする「佐吉翁に学ぶ会」の村松捧次さん＝湖西市梅田
㊦アイデアを生かした自社のスポーツ用品と発明クラブの中村哲也会長＝湖西市新所の羽立工業

子どもに第3の道

会長の中村哲也(63)は「勉強、スポーツに次ぐ発明という第3の道を子どもたちに提供したい。有名な卒業生はまだいないが、いずれノーベル賞を」と意気込む。講師にはトヨタ系企業の社員も加わる。今年は専用会場を確保し、初めて100人を超える小学生を集めた。

中村自身も発明企業のトップである。父が創業した羽立工業社長。バドミントンの羽根を出発点にスポーツ、健康用品を次々に開発する。「10のうち8は失敗。それが発明の道」という。

ところで佐吉はなぜ愛知県で事業を展開したのだろうか。遠州で起業していれば、遠州の歴史は大きく変わったと思われる。地元には親戚ある。湖西には工場を作る平地が乏しかった、佐吉は地元で借金を重ねたので歓迎されなかった……。

湖西と浜松の薄いつながりが最大の理由ではないかと思う。湖西は江戸時代、豊橋が拠点の吉田藩だった。浜松へは新居の関所と浜名湖を渡る船が立ちはだかった。浜名湖に木橋が架かったのは佐吉14歳の1881年。本格的な橋はその約50年後だ。佐吉の親戚や知人は湖西か三河で、浜松には少なかった。

佐吉の名は広く知られているが、細かな業績や生涯を知る人は多くない。次回は佐吉の一生をたどる。＝敬称略
（長谷川智）

◆昨年度の記事を収録した「遠州考Ⅱやらまいかを探る」が本になり、書店とネットで販売中です。遠州考メルマガ（週1回）の希望者はensyu-kou@asahi.comにメールで申し込んで下さい。

―― 佐吉と湖西① ――

今週から豊田佐吉と生誕地・湖西の物語です。地域の物語はどうまとめるかが大変ですが、自由にできるおもしろさもあります。最初は顕彰する地元の人たちを取り上げました。少年少女発明クラブは全国にありますが、トヨタ自動車のお膝元の三河地方が盛んだそうです。安倍首相が施政方針演説で佐吉を「愛知に生まれた事業者」と言った真相は、「ミス」のようです。「トヨタは愛知」のイメージが主流ですが、「創業者は遠州」という継続的で確信的な発信は必要でしょう。佐吉が三河中心に事業展開をした理由をみると、明治時代の状況がよくわかります。浜名湖が壁で、木製の橋しかありませんでした。今も浜松から湖西に行くには海沿いを迂回するので、遠く感じます。浜名湖がなければ直線で行けるので、もっと近いはずです。浜名湖の存在も遠州の歴史を作ってきました。

――佐吉と湖西②――

トヨタ自動車もスズキも織機がルーツで、展示施設に行くと、多くの織機があります。しかし、素人が見ただけでは、どれが新しく、性能がいいのかなど、すぐにはわかりません。見た目でわかる自動車とは対照的です。今回は豊田佐吉の生涯を業績中心にまとめました。発明への執念は当然ですが、西国立志編を読んでの「覚醒」、大阪の紡績業者との協業での「挫折」が、印象的です。偉人はどこかで覚醒しています。親や教師、関係者は、子どもたちに覚醒のタネを与えることが重要でしょう。挫折から何を学ぶかも同様に大切です。佐吉は発明だけに没頭することの限界を知り、信頼する人との経営に心を砕きました。すべての会社経営に通じることでしょう。覚醒も挫折も、次の「実践」がカギとなります。実践が偉人と凡人を分けます。

朝日新聞　２０２０年１０月９日　朝刊　２２ページ　静岡全県

遠州考 115

第26章　佐吉と湖西 2

織機で発明王の道へ　挫折が教訓に

豊田佐吉は著名だが、業績や生涯に詳しい人は多くない。織機という、今ではなじみの薄い分野で成功したことが一因だろう。佐吉は織機を人力機、動力機、自動織機へと発展させた。それぞれを覚醒期、発展期、展開期に分け、佐吉の生涯をみる。

まず出生から人力機を作るまでの覚醒期（１８６７～90）。生まれた山口村は土地が少なく湖西でも貧しい場所だった。記念館が整備されているが、山の谷間にある。

覚醒のきっかけは啓蒙家・中村正直訳「西国立志編」との出会いだ。英国人スマイルズが書いた欧米人の成功物語で、佐吉に強烈な向上心を生んだ。中村は静岡学問所の教授。父の実家があった伊東市に碑が立つ静岡ゆかりの人物である。佐吉は近くの観音堂の夜学会で学んだ。当時、専売特許条例で権利が保護された「発明」にかける決意をした。

夢中になると、遠州人らしく猪突猛進、一心不乱となる。県外の知人を頼って研究。90年、織機はそれまで両手を使ったが、片手で動かせる人力機（木製）を発明。特許申請し、発明王への一歩を踏み出した。

日露後の業績不振で

続いて動力機を開発した発展期（90～1910）に移る。相変わらず各地を転々とし、エンジンや電気で動かす動力機の研究と改善に没頭。98年、木と鉄でできた動力機の特許を取得。三井物産と合弁会社を作って全国ブランドに飛躍した。これが評判となり、大隈重信や井上馨ら明治政府の重鎮が来訪した。1907年、大阪の紡績会社も出資して豊田式織機を設立。そこで挫折を経験する。

「会社の業績が上がらないのは発明や試験に気を奪われるからだ。豊田君、気の毒だが辞職して欲しい」。日露戦争後の業績不振で役員間の反目が激しくなり、大阪の紡績会社出身の社長が佐吉をやり玉に挙げた。常務の佐吉は失意のうちに辞表を出した。

佐吉は発明で多くの失敗をしたが、この挫折は「一生の痛恨事」と語る。心の傷と今のトヨタ自動車の経営につながる貴重な教訓を残した。

続く自動織機（G型）と展開期（1910～26）。織機は縦糸と横糸を織るが、糸が切れると機械を止めなければならない。自動織機は糸が切れても自動的に修復でき、生産量が飛躍的に上昇する。

経営と技術の両立

解任された佐吉は心機一転、渡米する。ニューヨークで訪問したのが、消化酵素剤のタカジアスターゼを開発して著名だった高峰譲吉。「発明した人が最後まで面倒をみる責任がある」と助言され、発明と経営の両立を胸に刻む。26年に豊田自動織機製作所を設立。経営陣は豊田一族と信頼できる番頭で固めた。

死去直前の29年、特許権を英プラット社に売却。特許料を自動車参入の資金にあてた。経営と技術の両立、一族中心の経営は今も続くトヨタ自動車の基盤である。

佐吉の長男喜一郎、孫章一郎、ひ孫章男は社長に就任した。佐吉の弟平吉の次男英二も社長を務め、中興の祖とされる。いずれも湖西にルーツを持つ人たちである。

＝敬称略（長谷川智）

生家近くの豊田佐吉記念館に立つ佐吉の胸像

佐吉が「西国立志編」を学んだ観音堂。生家のすぐ近くにある＝いずれも湖西市山口

◆昨年度の記事を収録した「遠州考Ⅱやらまいかを探る」が本になり、書店とネットで販売中です。遠州考メルマガ（週１回）の希望者はensyu-kou@asahi.comにメールで申し込んで下さい。

朝日新聞　2020年10月16日　朝刊　24ページ　静岡全県

第26章　佐吉と湖西　3

遠州考　116

「野史」が伝える　等身大の素顔

「野史《やし》」という言葉がある。正式の歴史である「正史」に対する言葉で、在野で作られた歴史という意味だ。トヨタ自動車には周年史や佐吉伝といった正史があるが、学者や郷土史家、記者らによる多くの野史もある。

佐吉が国民的に著名になったきっかけは、1937年から国定教科書に登場したことだ。教材を書いたのは佐吉の出身地である鷲津小学校の校長だった。

その4年前、評論家の徳富蘇峰が浜名湖を訪れた際、案内した気賀小校長が鷲津小校長に話しかけた。「息子の就職で名古屋に行ったら佐吉という人を知り、偉い人だと驚いた。鷲津出身だそうだ。教科書の教材を懸賞文として募集しているから、地元の校長として応募したらどうか」。作品は見事当選し、元日も忘れて研究に打ち込む発明王が脚光を浴びた。

「変人」「借金王」

佐吉は地元では「変人」「借金王」としても名を残す。研究に没頭し、周囲を顧みない。研究のための資金を手当たり次第に借りる。「返済されなかった借金の証文が多くあった」という話が地元には残る。

大番頭で、トヨタ自動車工業社長も務めた石田退三は66年、鷲津小での講演で借金王ぶりをこう語る。石田が別の会社にいた頃、「えたいの知れない異様な人物が入ってきた。うちの社長におじぎもしない。『お金ですかい』と聞くと『そうですな』とぶっきらぼうだったという」。

地元で佐吉の墓があるのは日蓮宗妙立寺。墓は質素。すぐ近くに佐原たみという女性の墓もある。離婚した人で、正史には書かれない。

佐吉は1893年、近くのたみと結婚した。発明にのめり込み、家庭を気にかけず、長く家を空けることも多かった。翌年6月、長男喜一郎が生まれたが、たみは幼子を残して実家に帰り、離婚。その後、横浜や神戸の外国人住宅で働いたという。

2人の妻と長男

佐吉は97年、やはり湖西の林浅子と再婚した。浅子は喜一郎を育て、事業も切り盛りした。佐吉は喜一郎の進学に消極的だったが、浅子は旧制二高、東京帝大工学部に進学させた。喜一郎はその後、自動車事業への参入を決断、飛躍の立役者になった。

「佐吉翁ゆかりの寺子屋妙源寺」という団体がある。寺には佐吉が幼少期に通った寺子屋があった。団体は1993年の本堂新築をきっかけにできた。代表の小池力(67)は「佐吉の素顔をもっと知り、顕彰したい」と話す。

大事をなすのは常人ではない。成功すれば偉人、失敗すれば変人。等身大の偉人を知ることは歴史を身近に感じることにつながるだろう。

白須賀に喜一郎の名が刻まれた碑がある。終戦直後の47年に完成した用水開発への協力者を顕彰している。一族の名が刻まれている地元の農業男性(55)は「先祖が喜一郎さんと親しかった。喜一郎は戦前、湖西にエンジン工場を造る予定だったと我が家では伝わっている」と話す。工場ができていれば遠州の様相は違っていたはずだ。湖西には野史の材料がまだ残っている。

＝敬称略（長谷川智）

湖西市の妙立寺にある豊田佐吉の墓。目立たず質素だ＝湖西市吉美

㊤豊田喜一郎が協力してできた用水。水が勢いよく流れ出ている。昭和22年頃＝湖西市白須賀㊦豊田家が作製したという佐吉の胸像を持つ小池力さん＝湖西市坊瀬の妙源寺

◆昨年度の記事を収録した「遠州考Ⅱやらまいかを探る」が本になり、書店とネットで販売中です。遠州考メルマガ（週1回）の希望者はensyu-kou@asahi.comにメールで申し込んで下さい。

――佐吉と湖西③――

「野史（やし）」という言葉は何とも魅惑的です。組織には「正史」があり、最近は「自分史」もはやっています。どちらも当事者が語りたい歴史です。これに対して「野史」は、周辺部が語る歴史であり、場合によっては当事者が語りたくないことも含まれます。正史と野史を総合した中に真実があるとも言えます。鷲津小学校の校長先生が教科書の教材に応募した話は、おもしろいです。当時、佐吉は偉人扱いではなかったようです。教科書に載らなかったら、国民的英雄になっていなかったかもしれません。遠州考を連載して痛感しますが、偉人は人格円満な聖人君子ではありません。常人にはないエネルギー、発想、執念を持ち、かつ成功した人です。同じ気質を持っていても、失敗すれば、時に変人奇人扱いで終わります。そこに歴史や人生の深奥と哀愁を感じます。

――佐吉と湖西④完――

「トヨタ自動車の経営は報徳的」と言われていましたが、取材して想像以上だと感じました。正伝「豊田佐吉傳」の最初の一文が「佐吉の思想的背景は日蓮主義と報徳宗」で始まるのには驚きました。

朝日新聞　２０２０年１０月２３日　朝刊　２０ページ　静岡全県

遠州考　117

第26章　佐吉と湖西　4完

トヨタに息づく報徳の教え

経済と道徳の融合

豊田本家の豊田博達さん。豊田章一郎氏の書いた本に自分が登場するページを開いている＝湖西市山口

豊田佐吉記念館に展示されている豊田綱領＝湖西市山口

豊田佐吉顕彰祭の日、胸像の前で発明表彰を受けた子どもらと記念撮影をするトヨタ自動車の豊田章男社長（左下）＝2019年10月30日、湖西市の鷲津中学校

◆昨年度の記事を収録した「遠州考Ⅱやらまいかを探る」が本になり、書店とネットで販売中です。遠州考メルマガ（週１回）の希望者はensyu-kou@asahi.comにメールで申し込んで下さい。

報徳には地元報徳社に加入して毎月の例会に出る「狭義の報徳」と報徳的思想に共感する「広義の報徳」があると言えます。父の伊吉は狭義、佐吉以降は広義と言えるでしょう。今の章男社長は豊田綱領を重視しています。創業家の求心力を高める意図もあると思いますが、日本最大企業が報徳思想を大切にしていることはもっと注目されていいでしょう。金原明善ら明治以降の多くの遠州人は、利己的にならず、社会全体を考える報徳的考えを持っていたと思われます。コロナ禍で注目が高まっています。遠州最大の遺産であり、未来に向けた活用も重要だと感じます。

——太平洋の贈り物①——

今週から漁業、水産物です。偉人シリーズは取材対象も自ずと決まりますが、水産物や祭りのようなシリーズは、まず全体像を把握し、その上でどこに焦点をあてるか考える難しさがあります。

まず県の全体像を踏まえた上で、遠州に縁の深い4つの魚種を取り上げることにしました。初回は遠州漁業を支えていることがわかったシラスです。農業は天候に大きく左右されますが、漁業は海の生物の生態がよくわからない難しさがあります。漁獲量が減ると「乱獲か」と言われますが、魚種転換という変化もあって、単純ではないようです。シラスは長い目で見ると漁獲量が安定し、加工業も生んでいます。高級魚とはいえませんが、遠州漁業の横綱、命綱です。

朝日新聞　２０２０年１０月３０日　朝刊　２４ページ　静岡全県

第27章　太平洋の贈り物　1

遠州考　118

港に揚がったシラスを仲買人が手にとってチェックする＝浜松市西区の舞阪漁港

「遠州産ブランド」支えるシラス

遠州は太平洋と一直線に向き合う。海と空しか見えない。子どもの頃、白い波を見ながら「左はアメリカ」「前はオーストラリア」と言い合った。そんな太平洋からの贈り物は水産物だ。ブランド力と食文化の視点で考える。

県内の水産業を概観する。全国順位は県ホームページ（HP）によると、生産額5位、金額7位、加工額3位。県内漁港の取扱金額（2018年度）は焼津が圧倒的で、沼津が次ぐ。上位10港のうち遠州は、舞阪（浜松市）3位、御前崎6位、福田（磐田市）10位である。

カツオ漁が盛んだった焼津は明治時代から遠洋に挑んだ。ビキニ環礁の水爆実験で被爆した第五福竜丸の船籍を生んだが、「水産のやらまいか」は駿河の焼津に譲らざるをえない。各地のブランドは、伊豆は天然の港に恵まれてキンメダイ、駿河湾は遠洋漁業とサクラエビ、そして遠州はシラスやウナギだ。

反対乗り越え発展

遠州の水産を規定する条件は、砂丘地帯で港の適地が少なく、地引き網が300年以上の歴史を持つことである。そこに割って入ったのが、海上の船で網を引くシラス漁。舞阪郷土史研究会の「シラス船曳網漁業の発祥と普及」（09年刊）によると——

「昭和5（1930）年ころ、舞阪の鈴井六三郎と福田の加藤伊作がシラス船曳網を考案し、太田川河口で試験操業をした。シラスは鮮度落ちが早いので、加工で行き詰まる。加工施設は地引き網業者が持っていたが、貸さない。船曳は砂が混じらず損傷も少ない利点があったので、理解ある加工業者と協力して成功する。利害が対立する地引き網業者やカツオ一本釣り業者の反対を乗り越え、戦後、本格的に発展した」

シラスは2月前後を除いてほぼ一年中、操業できる。朝に出漁して昼前に戻る。網を1隻で引く地域もあるが、遠州は2隻。漁獲量は日や年によって変動するが、平均すれば安定している。

加工業　港周辺に富

浜名漁協組合長の河合和弘(69)は旧舞阪町議、元浜松市議。「舞阪にとってシラスはアサリと並ぶ二本柱。シラスが取れない日は浜名湖でアサリ漁やノリ、カキの養殖をすればいい。太平洋と浜名湖の存在は本当にありがたい。最近、アサリが不漁なので、シラスの比重が高まっている」。

1498年の明応地震は甚大な被害をもたらした。しかし、今切口ができて海とつながった汽水湖となった。今や大きな恩恵だ。

シラスは港周辺に加工業という富も生んだ。塩ゆでした釜揚げ、天日などで乾燥させたシラス干し、長く乾燥させるチリメンなどがある。福田のマルイ水産社長内野精(65)は「出荷先は東京6割、関西1割、地元3割。出荷先別に塩分濃度を調整している。遠州灘のブランド力は高い。天竜川の良質なプランクトンのおかげと言われる。東京は見栄え、地元は味にこだわる。味の良さを地道に追求したい」という。

遠州のシラス漁は長い歴史を持つ。都会では食材の一つとして使うことが多い。地元にはご飯にたっぷりかける食文化がある。シラスは遠州水産業の横綱である。＝敬称略（長谷川理）

浜名漁協の河合和弘組合長。アサリ漁を手がけてきた＝浜松市西区

◆昨年度の記事を収録した「遠州考Ⅱ やらまいかを探る」が本になり、書店とネットで販売中です。遠州考メルマガ（週1回）の希望者はensyu-kou@asahi.comにメールで申し込んで下さい。

——太平洋の贈り物②——

今回はカツオです。遠州でカツオと言えば、御前崎。漁業は農地に乏しい御前崎あげての生業で、文化を形成してきました。「カツオ釣り体操」と加藤剛のお父さんが考案した話は知りませんでした。

朝日新聞　２０２０年１１月６日　朝刊　２２ページ　静岡全県

第27章　太平洋の贈り物　2

遠州考　119

元船長だった市長

カツオは静岡県を代表する水産物である。生産量は全国一、県内の魚種別の順位でも1位だ。遠州の代表的産地は御前崎で、「一本釣り」で知られる。地域文化でもある御前崎のカツオを考える。

御前崎港に水揚げされたカツオ。新鮮なモチガツオも名物だ＝御前崎市

御前崎の文化　カツオ漁とともに

元カツオ船長で模型を手にする御前崎市の柳沢重夫市長＝御前崎市役所

◆昨年度の記事を収録した「遠州考Ⅱやらまいかを探る」が本になり、書店とネットで販売中です。遠州考メルマガ（週１回）の希望者はensyu-kou@asahi.comにメールで申し込んで下さい。

港近くにある「なぶら市場」はスーパーでは買えない鮮魚が圧巻で、肉厚のカツオやマグロは絶品です。しかし、後継者難で先行きは明るくありません。究極的な理由は所得がいま一つと言うことだそうです。太平洋と浜名湖で漁ができる舞阪港は後継者の問題はないと聞きました。「浜岡原発で働く人が増えて漁師が減った」という証言もありました。原発と漁業・農業など1次産業は、風評被害がつきまとって相性はよくありません。どの方向で町作りを進めるかという悩みもあります。カツオ文化の底流と先行きは複雑です。

——太平洋の贈り物③——

今週はフグがテーマです。「浜松のフグ」で「ハマトラ」と呼びますが、おじさん世代には横浜で流行した女性のトラッドファッション「ハマトラ」を連想します。好感度の言葉ですが、遠州にフグを食べる文化がないのが痛いところです。かつては山口・下関の市場に回っていましたが、舘山寺に加工工場を作ったのは「やらまいか精神」でしょう。少し食べただけで、天然と養殖のトラフグの違いはわかります。海を泳ぐアスリートの筋肉とブロイラーのぶよぶよ肉の違いです。もっと量が捕れて、安くなって、シラスやギョーザといっしょに食べるようになれば（ちょっと変か?:)、ブランド力も高まるでしょう。少なくとも遠州人は「ハマトラがあるぞ!」という常識を持ちたいものです。観光客用だけに終わっては寂しいです。

朝日新聞 2020年11月13日 朝刊 18ページ 静岡全県

遠州考 120

第27章 太平洋の贈り物 3

天然「ハマトラ」フグ、ブランド化は

遠州灘は天然トラフグの貴重な産地である。浜名湖畔の舘山寺温泉（浜松市西区）は毎冬、「ハマトラ」とPRする。遠州フグのブランド力と食文化を考える。

1989年冬、遠州灘でトラフグが突然、大量に釣れた。縄の先に複数の針をつけて釣るはえ縄漁が舞阪（同）を中心に行われていたが、平年の10倍以上釣れた。フグは高級魚で値段が高い。1日の漁で100万円稼ぐこともいわれた「フグバブル」。情報は駆け巡り、フグ漁を始める漁師が相次いだ。

幻の「フグバブル」

福田（磐田市）でシラス漁をしていた溝口勝(62)もその一人。借金で船を買い、冬はフグ、それ以外はカツオを追った。「2人の男の子の学資と生活費を稼ごうと必死だった」。カツオを求めて伊豆諸島や和歌山県沖まで1人で漁に出た。

しかし、ほどなくフグの漁獲量は減る。遠州灘のトラフグは「伊勢・三河湾系群」と呼ばれ、他海域とは独立した群れとされる。「卓越年級群」という漁獲量が多い年の一方、少ない年もある。

遠州にはフグの毒を抜く加工施設がないので、山口・下関の市場に持ち込まれた。遠州ではフグを食べる習慣がなく販路も限られた。溝口は「養殖フグが増えて価格も低迷した」と7年前に船を売り、シラス漁に戻った。

食文化の違いは決定的だ。私が大阪に勤務した時、冬のフグと夏のハモを心底楽しみにしている関西人に触れて感動した。山口県出身の知人はカツオやマグロなど赤身魚やウナギはほとんど食べたことがなく、フグなど白身魚中心だったと聞いて驚いた。

量と食文化が壁に

遠州はフグのブランド化に向けた努力を重ねてきた。2003年、舘山寺の観光業者が組合を結成して加工工場を作り、地産地消の道を開いた。「遠州灘天然とらふぐ」を商標登録した。天然しか出さないホテルや料理店が「とらふぐまつり」を毎年、冬に開く。値段は養殖より高いが、太平洋で鍛えられた身の歯ごたえが全く違う。「身が引き締まって甘みを感じる上質さ」と売り込んでいる。

課題は量が少ないことだ。浜名湖かんざんじ温泉観光協会事務局長の太田昌弘(64)は「まつりは今年で18回目になるが、フグがなくなった年が2回あった。最近は少なめ」という。県内漁獲量は年100トンを超えたこともあるが、ここ10年は20トン前後、19年は6・9トンと統計を取り始めてから最低だった。

ブランド力と食文化は表裏一体だ。シラスやウナギ、浜松ギョーザのように地元で多く消費されれば、発信力や注目度が上がってブランド力も高まる。フグが安定した量と価格で地元の食習慣を変え、消費増大につながれば、望ましいサイクルができる。稚魚を放流しているが、明るい兆しはまだ見えない。

太田は「息長くやっていくしかない。我々は覚悟を決めている」。浜松市中心部の老舗フグ料理店「神谷」の神谷拓男(77)は「地域でもっと盛り上げるしかない」。

トラフグよ！戻ってこい。遠州人よ！もっとフグを食べよう。

＝敬称略

フグ漁は毎年10月に解禁され、2月まで続く＝浜松市西区の舞阪港

フグ漁からシラス漁に戻った福田の溝口勝さん＝磐田市

◆昨年度の記事を収録した「遠州考Ⅱ やらまいかを探る」が本になり、書店とネットで販売中です。遠州考メルマガ（週1回）の希望者はensyu-kou@asahi.comにメールで申し込んで下さい。

―太平洋の贈り物④完―

最終回はやはり「ウナギ」です。若い頃、盆暮れに帰省すると出前のうな重を食べました。東京育ちの子どもにとって、間違いなく「遠州の味」です。私は4年前から遠州在住ですが、うな重はほとんど食べたことがありません。60歳を超えて給料が激減したことも一因ですが、うな重は2000円以上で高すぎます。回転ずしでは一皿頼みますが、寂しいことです。関係者は食文化の衰えを心配しています。小学校の給食でウナギを出す活動を続けていますが、子どもたちにウナギの味を伝えるためです。ゴムのような海外ウナギではなく、サクサクした浜名湖ウナギです。マリアナ海溝で産卵するウナギの生態は、多くが謎に包まれています。浜名湖周辺の関係者の努力でもっとシラスウナギが捕れるようになり、値段が安くなって復活することを心から願っています。

朝日新聞　２０２０年１１月２０日　朝刊　２５ページ　静岡全県

遠州考 121

第27章　太平洋の贈り物　４完

ウナギ養殖「先進地」、負の連鎖脱却へ

「浜名湖といえばウナギ！」とタモリは叫んだ。今年1月放送のNHK「ブラタモリ」で特集された通り、浜名湖ウナギの知名度はなお高い。しかし、今や絶滅危惧種で価格が高騰、高嶺の花だ。全国一だった静岡県の生産量も4位に低迷する。資源管理時代のウナギを考える。

ピークは全国7割

浜名湖のウナギ養殖は東京・深川で手がけていた服部倉治郎が本格的な起源。服部は東海道線の車窓から眺めて消費地に近く水が豊富なため適地と考えた。地元雄踏の中村源左衛門正輔と1900年ころ大規模な養殖場を造った。

福田（磐田市）の太田川河口では寺田彦太郎が1866年、日本初の営業目的の養魚場を造った。82年には水産博覧会にウナギを出品した記録もある。遠州はウナギ養殖の先進地である。

戦後、浜名湖周辺や大井川河口の水田が次々と養殖池に変わった。静岡県のウナギ生産量のピークは1968年、全国の7割近くにのぼった。しかし、80年代は愛知県、90年代は鹿児島県がトップに立った。

ウナギ養殖は稚魚（シラスウナギ）を捕獲して成り立つ。天然ウナギがマリアナ海溝で産卵し、黒潮に乗った稚魚が日本近海で捕れる。しかし、10年ほど前から激減。2014年に絶滅危惧種に指定された。養殖の各種規制も導入された。

資源管理や新料理

多くの挑戦が始まった。浜松市農業水産課の斎藤仁孝(65)は「稚魚不足を何とかするため、産卵用の天然ウナギを官民で放流する取り組みを13年に始めた。養殖先進地として資源管理の責任がある」と力を込める。毎年11～12月、浜名湖で捕れた天然ウナギを買い上げ、遠州灘で放流する。効果はまだ不明だが、全国のお手本を目指す。

ウナギなど徳川家康ゆかりの食材を「パワーフード」として売り出す組織もできた。生産、流通、販売の各業者が参加するのが特徴だ。魚卸売で創業99年の海老仙（浜松市西区）も一員で、4年前からウナギ養殖を始めた。社長の加茂仙一郎(60)は「日本一おいしい『職人のウナギ』を目指す。資源管理やパワーフードの新組織を通じて地域の一体感も出ている。若手を巻き込んで浜名湖ブランドを[illegible]したい」と飛躍を期す。

全国唯一というウナギの刺し身も登場した。京都の料亭で修業した仲村健太郎(50)が12年に考案し、自店の「魚魚一」（同市中区）で提供する。「ウナギの血に毒があり、水と塩と焼酎で毒抜きするのがポイント。仕込みは面倒だが、おいしい白身で自信はある」。県外の著名ブロガーの紹介で火がついた。「孫の代に当たり前の料理になるのが夢」と話す。

ウナギの高値が続けば、若い世代は味を知らず、中年以上は味を忘れ、食文化が衰える。稚魚の闇取引の摘発や規制破りも続き、消費者のウナギ離れも起きかねない。負の連鎖をどう転換するか。先頭を走ってきた「浜名湖ウナギ」の誇りと底力が問われている。　＝敬称略

◇

次週から「浜岡・浅根の祈り」を連載します。

（長谷川智）

ウナギの刺し身を手にする仲村健太郎さん＝浜松市中区

海老仙の加茂仙一郎社長。「職人のウナギ」を目指す＝浜松市西区

◆昨年度の記事を収録した「遠州考Ⅱ やらまいかを探る」が本になり、書店とネットで販売中です。遠州考メルマガ（週１回）の希望者はensyu-kou@asahi.comにメールで申し込んで下さい。

―― 浜岡・浅根の祈り ① ――

浜岡原発は取材の最大テーマの一つです。再稼働するかどうかが焦点ですが、規制委員会の安全審査は止まっているかのように見えます。４年前の赴任の際、水野成夫さんの「泥田に鶴が舞い降りた」という発言を知り、関心を持ちました。水野さんは活動の幅が広すぎて評価が難しい人物と言えるでしょう。長男の誠一さんは「父は信ずる道を突き進み、間違っていると思えば転換する柔軟な人」と言います。猪突猛進するあたりは遠州人らしいところです。「共産主義にかぶれない者はバカ。一生かぶれる者はバカ」とも言っていたそうです。原発はかつて大物の意向が重要な要素でしたが、今は住民の総意こそ尊重されるべき時代です。数奇な親子の物語は遠州人にとって「浜岡原発の常識」として押さえておきたい事実です。親の考えに近いか、長男に同調するか、一人一人が考えるべき重いテーマです。

朝日新聞　２０２０年１１月２７日　朝刊　２２ページ　静岡全県

遠州考 122

第28章　浜岡・浅根の祈り ①

金の卵を産む鶴

原発賛否 親子の正反対の軌跡

中部電力の浜岡原子力発電所（御前崎市、旧浜岡町）の地は「浅根」と呼ばれた。電気や水道が来たのは遅かった。そんな土地に突然のように原発が来た。原発を中心に浜岡の歴史や風土を考えたい。恩恵の一方、抱えた苦悩も小さくない。著名な親子の物語から始める。

「泥田に金の卵を産む鶴が舞い降りた」。浜岡原発関係者には有名な言葉だ。発言者は浅根のある旧佐倉村出身で産経新聞社長だった水野成夫（1899～1972）。長男の誠一（74）は、西武百貨店社長や参院議員を務め、浜岡原発停止と静岡空港反対を訴えて2001年の知事選に出馬した。原発をめぐって親子は正反対の軌跡を描く。

知事選直後に出版した「静岡県は大丈夫か？」を手にする水野誠一さん＝東京都港区

1961年、水野成夫氏（右）と元首相の吉田茂氏（中央）、当時首相の池田勇人氏＝「人間・水野成夫」から

水野成夫氏の胸像が郷里の桜ケ池近くに立っている。「原発の創設に寄与」と刻まれている＝御前崎市佐倉

父の責任を取る

◆昨年度の記事を収録した「遠州考Ⅱやらまいかを探る」が本になり、書店とネットで販売中です。遠州考メルマガ（週１回）の希望者はensyu-kou@asahi.comにメールで申し込んで下さい。

——浜岡・浅根の祈り②——

元社長とはいえ、同業他社であり、テーマが微妙な原発問題でもあり、毎日新聞元社長の朝比奈豊さんへの取材申し込みには多少気を使いました。「持ち株会社の会長を6月に辞めたので取材は受けると思うよ」という知人の毎日記者の私的助言もあり、朝比奈さんあてに取材申し込みの手紙を出しました。現社長が初任地の新潟支局時代の1年先輩で、了解してくれたことも後で知りました。朝比奈さんの郷土愛、新野愛は深く、「君、郷土を取材して楽しいだろ。いいなあ」と言っていました。石原元市長が同級生だと聞いて早速取材し、記事の厚みが出ました。朝比奈さんは毎日新聞の編集担当、主筆を務めましたから、原発の賛否は推して知るべしですが、浜岡原発に限っては慎重です。石原さんも単純な推進論者ではありません。原発の賛否は表向き鋭く対立することが多いのですが、実態や当事者の思いはかなり複雑、と改めて感じます。

朝日新聞　２０２０年１２月４日　朝刊　２０ページ　静岡全県

遠州考 123

第28章　浜岡・浅根の祈り　2

新聞社社長と市長　原発への思い

地元の戦国武将・新野左馬助を特集した御前崎市広報を手にする朝比奈豊氏＝東京都千代田区の毎日新聞本社

市長

菅首相の浜岡原発停止要請を受けて会見する当時の石原茂雄御前崎市長＝2011年5月7日、御前崎市役所

◆昨年度の記事を収録した「遠州考Ⅱやらまいかを探る」が本になり、書店とネットで販売中です。遠州考メルマガ（週１回）の希望者はensyu-kou@asahi.comにメールで申し込んで下さい。

――浜岡・浅根の祈り③――

地域の底流を追うことは地方記者の大きな使命です。今回は4年近い取材ノートからまとめました。じっくり聞くと、原発建設の裏話、功罪、歴史を率直に話してくれる人がたまにいます。小さな町にとって意見の対立する国策プロジェクトは、過酷なほど重荷です。連載したように全国紙社長を2人出した土地で、ビタミンを発見した鈴木梅太郎博士は隣町出身です。しかし最近は「浜岡の民度は低い」と嘆く声が地元から聞かれます。原発や中部電力依存で、自立心をなくしたためです。創意工夫や気概不足など地域力の低さは私も感じます。自らの力で頑張る「内発的発展」、これこそ地域の誇りにつながるはずです。浜岡原発の応接室には建設当時の竹山祐太郎知事が揮毫した「共存共栄」の額があります。見るたびに「原発は遠州にとって必要だろうか」と自問します。

朝日新聞　２０２０年１２月１１日　朝刊　２２ページ　静岡全県

遠州考 124

第28章　浜岡・浅根の祈り ③

将来は自ら決める　変化する地元

浜岡原発（中部電力）の取材を担当して4年近くになる。未来に向けて大切と思われる三つの変化を指摘したい。取材ノートから振り返る。

地元に鴨川姓の一族がいる。戦国時代、高天神城（現掛川市）をめぐる武田家と徳川家康の激しい攻防に参戦したと伝わる。

中電から「協力金」

2人が自立心言及

◆昨年度の記事を収録した「遠州考Ⅱ やらまいかを探る」が本になり、書店とネットで販売中です。遠州考メルマガ（週1回）の希望者はensyu-kou@asahi.comにメールで申し込んで下さい。

――浜岡・浅根の祈り④完――

かねて行きたいと思っていた福島第1原発事故の被災地に初めて入りました。立ち入り禁止地域が網の目のようにあり、時間は止まったまま。小さな道を走ると行き止まりで迷いそうになります。

「チェルノブイリの祈り」の著者アレクシエービッチさん、アレクシエービッチさんを案内した詩人の斎藤貢さん＝いわき市

防波壁の前で説明を受ける経団連の中西宏明会長（左手前）。右は中部電力の水野明久会長（当時）＝2019年2月14日、御前崎市の浜岡原発

◆昨年度の記事を収録した「遠州考Ⅱやらまいかを探る」が本になり、書店とネットで販売中です。遠州考メルマガ（週1回）の希望者はensyu-kou@asahi.comにメールで申し込んで下さい。

福島をどう書こうか考えていた時、アレクシエービッチさんが現地に行き、詩人の先生が案内した朝日新聞福島版の記事を見つけ、連絡を取りました。「チェルノブイリの祈り」には、病院の目をかいくぐって放射能物質のようになった消防士の夫に寄り添う妊婦の話が出てきます。彼女はいかに夫を愛していたかを語ります。中西経団連会長の発言のように原発推進派に地元への「無思慮」を感じる時があります。浜岡は今でも使用済み核燃料の危険性があります。しかし、南海トラフ地震が予想される中での再稼働は、可能性は小さいとは言え、遠州を捨てる現実性が高まることです。「福島のように絶対にならない」と断言できる人は推進派にもいないと私は考えます。あなたはどうでしょうか？

――特別編　身土不二を考える――

年末特別編で、昨夏お盆以来の「身土不二を考える」です。鈴木康友浜松市長と鈴木修スズキ会長の関係について、「浜松市はスズキの下請け市政」「市長はスズキの言いなり」という声をよく聞きます。行政は放置すると肥大化するので、効率化は必要です。財政の健全化も重要です。浜松市の問題はそれが「一辺倒」になっていることでしょう。文化や福祉は効率にはなじまない面があります。「浜松がやせ細っていく」という嘆きを聞きますが、一方で実態をよく知らない市民も多く、鈴木市政は4期目です。鈴木会長は市政関与をやめる、鈴木市長は自立した政治家として浜松や遠州の魅力アップのために必要な公共投資をする、これが浜松市政の焦点でしょう。一経営者が大きな影響力を持っている現状について、浜松市民一人一人が考えるべき民主主義の問題だと思います。

――快人伝①柴原力太郎――

３年続けた遠州考は本章が最後です。過去に取り上げなかった人を「快人伝」で９回連載します。トップバッターは、道普請の柴原力太郎さん。劇団たんぽぽ創始者・小百合葉子さんの資料収集で、

朝日新聞　２０２１年１月１５日　朝刊　２０ページ　静岡全県

第29章　快人伝 1　柴原力太郎

遠州考 127

3年近く連載してきた遠州考は本章が最終章となる。これまで登場しなかった痛快、愉快な「快人」を紹介したい。旧引佐町（浜松市北区）で道路補修に生涯を捧げた柴原力太郎（1884～1972）から始める。

大八車を引く柴原力太郎さん＝いずれも浜松市北区引佐町井伊谷、伊藤嘉八さん提供

頌徳碑の前に座る柴原力太郎さん

ひとりこつこつ65年　道路補修に献身

清貧の「ぼろ力さん」

町民働きかけ表彰

向山暁さん。写真には向山さんの母と柴原さんが写っている＝浜松市北区引佐町井伊谷

柴原さんを撮り続けた伊藤嘉八さん＝磐田市

柴原力太郎さんの頌徳碑＝浜松市北区引佐町井伊谷

◆昨年度の記事を収録した「遠州考Ⅱやらまいかを探る」が本になり、書店とネットで販売中です。遠州考メルマガ（週１回）の希望者はensyu-kou@asahi.comにメールで申し込んで下さい。

引佐図書館に行った時、柴原さんの資料も見つけました。「こんな人がいるんだ」と驚愕しました。柴原さんの生涯を伝えたいために「快人伝」を設けたと言っていい位です。引佐の文化の厚みを感じました。今回言いたかったことのもう一つは、浜松の観光キャッチフレーズ「出世の街」です。観光の語源は中国の易経にある「国の光を観る」です。ゆるキャラやB級グルメならまだしも、「浜松市の光」が「出世」では、味わいもなければ、深みも共感もありません。鈴木康友市長になってからのキャッチフレーズです。前回の遠州考で「今の浜松は文化軽視で、風格も品格もない」と書きましたが、今回の主張もその延長線にあります。

朝日新聞 2021年1月22日 朝刊 20ページ 静岡全県

遠州考 128

第29章 快人伝② 平野運平

日系社会の礎築いた「移民の父」

旧初馬村（現掛川市初馬）に生まれた平野運平（1886〜1919）は「ブラジル移民の父」と呼ばれる。慣れない習慣と重労働に耐え、日系社会の基盤を作った。

夢と現実の「落差」

こんなニュースを覚えているだろうか。2004年、ブラジルを訪問した首相小泉純一郎が、日系人歓迎会のあいさつの途中、涙を流して30秒ほど絶句してしまったのだ。前日、日本人が開拓した土地をヘリコプターで視察した際、手を振っている人たちを見て感激し、県の大歓迎を受けた。あいさつの時に思い出し、移民の苦労や望郷の念に思いをはせて感極まった。この土地はグアタパラと呼ばれ、平野が中心になって開拓した場所だった。

最初のブラジル移民は1908年、笠戸丸で渡った約800人。笠戸丸は日露戦争の戦利品だが、戦争に勝っても不況で国内は疲弊。コーヒー農場の働き手が全国で募集され、沖縄と鹿児島出身者が多く集まった。東京外国語学校（現東京外国語大）を卒業した5人が通訳に選ばれ、平野はその一人だった。

移民は家族単位で募集され、豊かな生活を夢見た。しかし現実は全く違った。20年前に奴隷制は廃止されていたが、実態は奴隷に近かった。粗末な小屋に住み、過酷な労働と闘病を強いられた。日用品を買うため借金がかさみ、夜逃げも相次いだ。通訳は次々と解雇され、残ったのは平野だけだった。世話役を兼ねて日本人をよくまとめた。ブラジル人の支配人に評価され、副支配人になった。

戦前、移民は国家的事業だった。「国内に働き口がないから海外へ」という考え方が主流となり、米国から南米、満蒙開拓へと突き進んだ。第1回芥川賞となった石川達三の「蒼氓」はブラジル出稼前の神戸の移民収容所を描いている。北杜夫は長編小説「輝ける蒼き空の下で」を書き、平野は「仕事の鬼」として登場している。

花開いた報徳思想

なぜ平野は成功したのだろうか。浜松市役所で国際交流事業に携わり、平野の伝記を書いた松尾良一(69)は「報徳思想があったからだと思う。『世のため人のため』と我慢強く努力し、人徳で周囲の信頼を得た。他の通訳は外交官のような気持ちだったが、平野は違った」という。

平野は掛川中学（現掛川西高）の一期生だった。前身は遠州報徳運動の中心だった岡田良一郎が作った冀北学舎。英語の原書も学んだ私塾だが、報徳的気風で育ち、海外に目が開かれていた。

平野植民地と呼ばれる開拓地も残したが、スペイン風邪のため32歳で亡くなった。現地の小学校には顕彰碑が建てられ、功績を伝える筑前琵琶も残る。平野姓は在学中に旧光明村（現浜松市天竜区）の親戚だった平野家に養子に出たためで、それ以前は榛葉姓だった。榛葉一家は運平の死後、ブラジルに移住した。

松尾が伝記を書いたのは、浜松市在住の日系ブラジル人が急増した際、平野について聞かれ、地元ではよくわからなかったからだ。記録があって歴史は残る。海外で活躍し、埋もれている遠州人がまだいるかもしれない。

＝敬称略（長谷川智）

掛川市の生涯学習センターに立つ平野運平の胸像＝掛川市初馬

㊤ブラジルに渡った通訳の5人。前列中央が平野運平＝松尾良一著『平野運平』から

㊦平野運平の本を書いた松尾良一さん＝浜松市西区

◆昨年度の記事を収録した「遠州考Ⅱ やらまいかを探る」が本になり、書店とネットで販売中です。遠州考メルマガ（週1回）の希望者はensyu-kou@asahi.comにメールで申し込んで下さい。

―快人伝②平野運平―

ブラジル移民の父・平野運平の生涯です。ここでも報徳運動が関係しているようです。掛川西高の前身である冀北学舎は、全寮制で当時の最先端、旧制高校を先取りした私塾でした。ブラジルに渡った東京外語学校の他の人たちがエリート外交官気取りだったのに対し、平野が献身的に努力した姿は誇りと言えます。当時は日露戦争後で、「国内では次男や三男は養えない」と海外移民に走りました。その後、満州利権を守ろうとして太平洋戦争になったわけですが、この歴史は忘れてはならないでしょう。「領土」より「貿易」で生きればよかったと思います。小泉純一郎氏は鹿児島・知覧の特攻隊基地でも涙を流しました。神風特攻隊は今となっては愚策ですが、日本人はそうしたこともする人間だと世界に知ってもらうべきでしょう。平和のために語り継ぐべき世界史的事件だとも思います。ブラジルや知覧で涙する小泉氏の人間性を感じます。

――快人伝③小杉あさ――

今週は日本のヘレンケラー小杉あささんです。彼女を知ったのは、報徳運動を研究していた浜松視覚特別支援学校の足立洋一郎さんを取材した時です。足立さんから小杉さんの自伝を頂きました。

実は足立さんは高校の同級生で、当時から目が良くありませんでした。大学院で報徳運動を研究して本を書いたことを知り、「頑張ってるなあ」と感じました。盲教育で他に2人の先駆者が遠州にいたことを初めて知り、「まさにやらまいかだな」と驚きました。初任地で同期だった毎日新聞の記者から「うちは点字を長くやってるんだよ」と点字の名刺を受け取ったことも思い出しました。

――快人伝④青山士――

土木技師・青山士の一生です。磐田市出身ですが、最近まで知りませんでした。パナマ運河建設に参加した唯一の日本人として紹介されることが多いのですが、倫理面に焦点をあてました。土木がらみの贈収賄事件は多くありますが、早くから警鐘を鳴らし、自ら質素に生きたことは特筆されていいでしょう。私の初任地は新潟ですが、大河津分水の巨大さに驚きました。東京では荒川沿いに長く住んだので、縁を感じました。こぼれ話ですが、実兄は日露戦争の奉天会戦で戦死した市川紀元二氏で、東京帝大卒。日露戦争で最初に戦死した帝大出の軍人として、かつて東京帝大内に銅像があり、今は静岡県護国神社に移設されているそうです。

朝日新聞 ２０２１年２月５日 朝刊 １８ページ 静岡全県

遠州考 130

第29章 快人伝④ 青山士

「技官倫理」残し体現した土木技師

旧中泉村（現磐田市中泉）に生まれた青山士（1878～1963）は、高い倫理観を持った土木技師だった。キリスト者の内村鑑三に強く感化され、「生まれた時より世の中を少しでもよくしたい」と願った。パナマ運河や荒川放水路の難工事に携わり、便利さと安全を後世に残した。

「土木技術者の倫理」という本がある。1999年に制定された「土木技術者の倫理規定」について、土木学会が詳しく解説した本だ。

最初の倫理規定は戦前の38年に作られ、起草の中心は青山だった。土木技術者は「人類の福祉増進に貢献」「公正で品格を」と訴えた。本はこの規定を「金字塔」とたたえ、青山の主張を「崇高の精神」と形容する。青山は地元ではあまり知られていないが、土木関係者の間では著名だ。

内村鑑三から感化

生家の青山家は中泉を代表する素封家だった。祖父の宙平は明治初期、中泉奉行で「郵便の父」と後に謳われる前島密と郵便業務や学校建設に尽力した。事業を幅広く展開し東京にも住居があった。孫の士が磐田の小学校を卒業すると、東京の尋常中学（現日比谷高校）に入学させた。驚異的な教育熱である。

青山は一高に入学。同級生の影響でキリスト教に関心を持ち、内村と出会った。「いかに生きるべきか」と悩んでいた青山は衝撃を受けた。

内村は札幌農学校（現北海道大学）に入学し、「少年よ大志を抱け」で有名な教育者クラークの教えを受けた。無教会主義を唱え、日露戦争では非戦論を主張。武士道精神に根ざす日本的キリスト教者として知識人に大きな影響を与えた。内村は人類救済を目指す土木事業が「後世への最大遺物」になると力説。青山は土木技術者として生きることを決意し、東京帝国大学土木工学科で学んだ。

大学の恩師は札幌農学校で内村と親友だった。恩師の紹介でパナマ運河の建設に参加することになり、大学を卒業した03年に渡米。翌年から7年半、日本人として唯一、工事に加わった。熱帯のジャングルで測量をし、10人に1人が黄熱病やマラリアで亡くなる過酷な日々も送った。

碑には「人類のため」

12年に帰国し、内務省技官に採用される。洪水を繰り返していた東京・荒川の放水路を建設。27年からは新潟県の信濃川で大河津分水路の改修を担当。34年には内務省技術官僚の最高ポストである内務技監に就任した。最高の栄達を遂げたことになるが、事務官僚との派閥争いに巻き込まれ、辞職した。

土木構造物とともに後世に残したのは「技術者倫理」だった。「軍艦より治水を」と問いかけ、軍部からマークされた。業者からの贈り物は一切拒否。工事の完成記念碑に自分の名は残さず、工事の犠牲者を悼み、日本語とエスペラント語で「人類のため」と刻んだ。38年の倫理規定は青山の生き様そのものだった。

戦後は磐田に戻り、静かに暮らした。富士山の大沢崩れ工事や天竜川の水利調査に携わり、84歳で亡くなった。磐田駅に近い中泉寺にある墓は前面にほとんど字がない。派手なことを嫌った青山の人生がしのばれる。 ＝敬称略

◇

次回は19日付です。 （長谷川智）

若き日の青山士

1961年、磐田市の自宅の庭でくつろぐ青山士

青山士が眠る墓。前面は下部の「青山氏」以外に文字はなく、簡素だ＝磐田市の中泉寺

◆昨年度の記事を収録した「遠州考Ⅱやらまいかを探る」が本になり、書店とネットで販売中です。遠州考メルマガ（週１回）の希望者はensyu-kou@asahi.comにメールで申し込んで下さい。

――快人伝⑤鳥居信平――

鳥居信平の偉業を発掘したのは、地道に研究を進めた台湾の大学教授です。回り回って日本の作家が知り、記事や本が世に出て、袋井市での顕彰や台湾との交流に発展しました。興味深い現象です。中東遠にはアジアなど海外で著名な人が多いようです。周恩来らを教えた松本亀次郎（掛川市）、ベトナム留学生を支援した浅羽佐喜太郎（袋井市）、ブラジル移民の父・平野運平（掛川市）らがいます。アジアとの関係は植民地支配や戦争によって今も複雑です。政府同士になると面倒な問題も生まれますが、これまでの縁を通じて政府とは別次元の民間交流を進めることが重要だと切に感じます。

――快人伝⑥中根金作――

中根金作の知名度は、だんだん上がっているように思います。地元に生誕の碑が立ち、湖西市新居町では市民団体ができ、本が出版されました。それだけ顕彰サイクルの典型のように思います。それだけ現代的な価値があるからと言えるでしょう。立派な本にした新居町の活動は注目されます。地域力を感じました。中根は京都の庭園を見て覚醒し、職人で終わらず、庭園を文化的側面から研究し、学識を深めた点が非凡なところでしょう。大きなエネルギーで信じる道を突き進んだところに遠州人らしさを感じます。本音の遠州人と建前の京都は合わないように思いますが、どうやって溶け込んだのでしょうか。（記事は快人伝⑤となっていますが、⑥です）

朝日新聞　２０２１年２月２６日　朝刊　２５ページ　静岡全県

遠州考 132

第29章　快人伝5　中根金作

庭園の美追求　国内外に作品

旧天竜村（現磐田市下岡田）に生まれた中根金作（1917～95）は「昭和の小堀遠州」と呼ばれた。小堀は戦国から江戸初期の茶人、造園家、書家と多彩な顔を持つ。中根は京都を拠点に植木職人として文化財保護を学び、造園業を通して大学学長になった。造園文化人といえる一生だった。

ルーツや進化説く

「日本の庭」（1964年刊）という中根の著書がある。日本庭園の起源を日本書紀や万葉集から説き起こす。禅宗や茶の湯の影響を分析し、金閣寺など全国の38名園を紹介する。別の著書では「庭園は他の文化同様、絶対権力者や富豪を中心に発達する。地方への伝播は武力と財力があったところに限られる」と書く。新しい権力が生まれた明治は停滞期、戦後は国際化や都市化で進化していると庭園の奥深さを説く。

中根一家は旧天竜村から磐田駅前に移って米穀商を営む。「手に職をつけろ」という父の教えで浜松工業学校（現浜松工業高校）に進学。染色図案を学び、浜松三大企業だった日本形染に就職した。しかし、父の友人の息子が造園家で活躍していることに興味を持ち、退職。東京高等造園学校（現東京農大）に進学した。

卒業間近の京都旅行で覚醒する。庭園の美しさに震え、「涙がこぼれて仕方なかった」という。京都の植木職人に弟子入りし作庭を学ぶ。戦争に2度召集され、戦後は京都府で文化財保護を担当。49歳で中根庭園研究所を設立、造園を本格化する。大阪芸術大教授として外国人にも教え、70歳で学長に就任した。

修理も含めて中根の手がけた庭は、京都の著名な寺だけでも天龍寺、南禅寺、西本願寺、龍安寺、大徳寺、三千院などがある。京都以外では栗林公園（高松市）、大濠公園（福岡市）、兼六園（金沢市）など。米国ではジミー・カーター大統領センターやボストン美術館があり、アジアと欧州にも広がる。米国専門誌の日本庭園ランキングで1位常連の足立美術館庭園（島根県）は代表作だが、オーナーが自分流にアレンジしたため、中根が「改悪が目立つ」と怒った逸話も残る。

湖西に40カ所残る

遠州では湖西市新居町に集中する。1970年代後半、小学校分校用の土地を購入したが、取りやめに。当時の旧新居町長が土地利用の提案を中根に委託したのが始まりだ。図書館、文化公園、老人福祉センター、親水公園など約40カ所が中根作品だ。

新居町には中根を研究する市民団体ができ、昨年、本を出版した。会長の吉元洋美（61）は「中根さんの庭は自然で落ち着く。整備して語り継いでいきたい」と話す。

長男の中根史郎（70）は「文化財や古い庭園に学んだ父は、美意識を追求する純粋芸術家だった。商売より自分の信念に向かって突き進む。古武士のようで、エネルギーは大きかった」という。

史郎は京都育ちだが、子どもの頃、長い休みは母の実家がある浜松で過ごした。哲学者を目指したが果たせず、父は「やめとけ」と言ったが、研究所長を継いだ。今は海外事業に力を入れ、サッカーのジュビロ磐田を応援する。

＝敬称略（長谷川智）

▲生誕地の地元自治会が2015年、記念碑を建てた＝磐田市下岡田

◀中根金作氏＝中根庭園研究所提供

中根金作氏が造った庭園に立つ吉元洋美さん＝湖西市新居町浜名の老人福祉センター

◆昨年度の記事を収録した「遠州考Ⅱやらまいかを探る」が本になり、書店とネットで販売中です。遠州考メルマガ（週1回）の希望者はensyu-kou@asahi.comにメールで申し込んで下さい。

――快人伝⑦秋野不矩――

秋野不矩を取材し、多くの感動を得ました。「野良犬」を描いた挫折、自炊して育った子どもたち、離婚を経てインドへの旅立ち、90歳を超えての大作……。インドの絵は写実ではなく、構想の結晶

朝日新聞　２０２１年３月５日　朝刊　２２ページ　静岡全県

第29章　快人伝⑦　秋野不矩

遠州考 133

「野性」の激しさ　胸に秘め描いた

旧二俣町（現浜松市天竜区）生まれの秋野不矩（1908～2001）は、文化勲章を受章した日本画家である。小学校教師を1年で挫折。好きだった絵に生きた。京都を拠点にしたが、最も遠州人らしい一人である。

二俣は天竜川が深い山から平野に流れ出す地にある。秋野は絵が好きだったが、家が貧しく教師になった。17歳で天竜川上流の横山尋常高等小学校1年の担任になる。

教師になるも挫折

「私はてこずった。統制がきかず、教室は一日お祭り騒ぎだった」と自著に書く。週末、歩いて3時間の実家に帰って泣いた。見かねた親は得意な絵をやらせることにした。横山の悪童たちが画家秋野を生んだことになる。

生家は二俣城跡の山の中腹にあり、父は神官だった。二俣尋常高等小学校ではホンダ創業者本田宗一郎の2年後輩。小学校時代、東京美術学校（現東京芸大）を出たばかりの教師と出会う。ゴッホやゴーギャンの絵を知り、感銘した。横山小での挫折を経て画業に専念した。

21歳で京都に出て、西山翠嶂の日本画塾に入る。すぐ帝展に初入選。しかし、翌年の帝展に出品した「野良犬」は落選し、失意の底に沈む。

「野良犬が夏の炎天下を歩いている気持ちを表現したい」とあばら骨が透けて見える犬を描いた。好きな世界だったが、胸にしまい込み、その後は世間が受け入れる美に転換する。

5男1女に恵まれた。秋野は作画に集中し、子どもたちは自炊した。子どもをモデルにした「少年群像」で第1回上村松園賞を受賞。「京都画人には珍しい独自の境地」と評価された。

京都市立美術大助教授だった54歳の時、転機が訪れた。アジア初のノーベル賞（文学賞）となった詩人タゴールの賞金で設立されたインドの大学から客員教授の話があった。

秋野は「私が行きたい」と手を挙げた。インドに関心があったわけではないが、4年前に離婚し、創作面でも苦しんでいた。

インドに魅せられ

インドでは厳しい自然を受け入れて悠々と暮らす人々、すべてを包み込む大地に感動した。胸に納めた「野良犬」の世界を投影したように見える。インド訪問は14回。水牛や寺院や民家、働く人や女性を描いた。90歳を超えて大作を仕上げ、驚嘆させた。

作家水上勉は「インドを描くことで生命をたぎらせている」、詩人大岡信は「黄色が印象的。ゴッホの多弁さ、ゴーギャンの激しい飢渇に対し、静かなる饒舌だ」と表現した。哲学者梅原猛は「神様、無欲な女仙人」と評した。秋野は穏やかな物腰だが、激しさを秘めていた。

秋野不矩美術館は旧天竜市が総力を挙げ、二俣の丘に作った。学芸員の大山みどり(47)は「弱い立場の人に共感し、美しさを感じた。膨大なエネルギーで自分の世界を追求した。芯の強い人間性が魅力だと思う」と話す。

天竜川沿いで見た犬、動物、人、自然……。秋野には都会の画家にはない野性を感じる。「不矩」は決まり事にとらわれない意味である。自らの夢に向かって一心不乱に突き進む――。遠州偉人の典型と言っていい。＝敬称略（長谷川智）

1995年8月、自宅でくつろぐ秋野不矩さん＝京都府美山町（現南丹市）

インドの情景から構想した「帰牛」＝浜松市秋野不矩美術館提供

◆昨年度の記事を収録した「遠州考Ⅱやらまいかを探る」が本になり、書店とネットで販売中です。遠州考メルマガ（週1回）の希望者はensyu-kou@asahi.comにメールで申し込んで下さい。

だそうです。秋野不矩美術館は小さな旧天竜市が気合を入れて作った施設です。旧天竜市は本田宗一郎記念館も作ろうとしましたが、合併後の浜松市長選でスズキの支援を受けた鈴木康友市長が誕生し、挫折しました。今の「もの作り伝承館」は行革を名目に当初計画を縮小した結果です。スズキの鈴木修会長は「企業が作ればいい」と言いましたが、ホンダはスズキと違って一族経営ではなく、だからこそ旧天竜市が作ろうとしたのでしょう。両社は軽自動車とバイクで競合しますが、「度量が狭い」という声が聞こえてきます。

朝日新聞　２０２１年３月１２日　朝刊　２４ページ　静岡全県

遠州考　134

第29章　快人伝⑧　福長浅雄

国産初の旅客機　羽ばたいた夢

民間人のロマン

母校で続く授業

福長３兄弟。右から浅雄、四郎、五郎。３人とも精悍（せいかん）な顔つきだ

初の国産旅客機「天竜10号」

福長の母校の飯田小にある記念碑と金原佐知子校長＝浜松市南区

◆昨年度の記事を収録した「遠州考＝やらまいかを探る」が本になり、書店とネットで販売中です。遠州考メルマガ（週１回）の希望者はensyu-kou@asahi.comにメールで申し込んで下さい。

――快人伝⑧福長浅雄――

福長浅雄の取材で印象深いのは、３兄弟の写真です。いかにも気が強そうで屈強な３人です。墜落もずいぶんしたそうですから、相当腹が据わっていたことでしょう。このころ、飛行機や自動車は技術の最先端で、新しもの好きの若い人たちが大勢関心を持ったそうです。拠点があった掛塚の天竜川沿いに看板が残りますが、それ以外は何もありません。つわものたちが夢のあと、の風情です。飯田小学校の「夢」の授業は素晴らしいと思います。夢を考えさせれば、子どもたちはいろいろ主体的に学ぶでしょう。暗記一辺倒ではなく、夢や偉人を学び、自分の意見を発信する。これからの教育でしょう。

朝日新聞　2021年3月19日　朝刊　20ページ　静岡全県

遠州考　135

第29章　快人伝⑨完　浅沼武

違憲判決　25条に魂吹き込む

浅沼武氏

㊤1928年8月の浅沼武氏（左）。隣は弟
㊦1963年、支援者の寄せ書きなどを見る療養中の朝日茂さん（右）

◆昨年度の記事を収録した「遠州考Ⅱやらまいかを探る」が本になり、書店とネットで販売中です。
遠州考メルマガ（週1回）の希望者はensyu-kou@asahi.comにメールで申し込んで下さい。

―快人伝⑨完　浅沼武―

浅沼武さんが高校の先輩と知ったのは、つい最近です。磐田南高校は来年、創立100周年を迎え、同級生に頼まれて100周年史の編集委員をしています。編集作業は予想より大変で、安請け合いをして後悔しているのですが、その過程で浅沼さんが朝日訴訟の裁判長と知り、驚きました。憲法では戦争放棄の9条が有名ですが、表現の自由をうたった21条、健康で文化的な生活を保障した25条がしっかり機能すれば、戦争にはならないでしょう。浅沼さんが岡山まで尋問に行ったのが労作教育の成果かどうかは、わかりません。しかし、地方の高校にとって、土や田畑、自ずと自然に交わる「身体性」は優位です。開成や麻布、灘のような都会の学校は、自ずと自然につながりません。東京で仕事をしている時、いつも感じていました。

――石橋湛山ゆかりの地を訪ねる――

朝日新聞　2021年3月20日　朝刊　30ページ　静岡全県

山梨・静岡　石橋湛山ゆかりの地

訪ねてみました

「日本のあるべき姿」思想の源

中学に7年　自由主義に感化

戦後政界へ　沼津に活動拠点

石橋湛山は戦前、軍部に屈した大手新聞と違い、圧力にめげず論陣を張ったので尊敬の念を持っていました。現場に行くと多くの感慨が生まれてきます。父は日蓮宗の高僧で、総本山である身延山久遠寺法主。甲府に行く途中、久遠寺にも寄りましたが、山の上の大寺院です。甲府一中では「ビージェントルマン」を学びます。社会改革に賭ける日蓮宗の激しさが気骨を生み、西洋合理主義が先見性ある小日本主義につながったのではと思いました。「個別は凡庸、全体は非凡」という同期生の評価も深い気がします。「小さな利口より大きな常識」でしょうか。

湛山の小日本主義の主張が実現していれば、戦争はしなかったでしょうし、現在の対米従属、アジア各国との歴史問題もありませんでした。

―エピローグ 未来への道筋―

語り継ぎたい15人を選んでみました。人物の価値は評価する時代と切り離せません。松本亀次郎、鳥居信平、浅羽佐喜太郎はアジアとの友好を意識してのことです。スズキ創業者の鈴木道雄は他社と競合しない織機を開発した独創性が光りますが、孫婿である鈴木修会長の不正事案の頻発や政治介入を評価できないので、はずしました。小山教授は浜松・浜名湖のジオパークを提唱していますが、私は遠州全域の「やらまいか報徳ジオパーク」を提案したいと思います。浜松市の行政区再編は目的を失って迷走していますが、今や小さくないでしょうか。遠州全域を合併して遠州市を目指すことはどうでしょう。市役所は浜松中心部、区は小笠区（区役所・掛川、地域・旧小笠郡／以下同じ）、磐周区（磐田、旧磐田郡と周智郡）、天竜区（二俣、現天竜区）、浜松浜北区（浜北、旧浜松市と浜北市）、浜名湖区（湖西、旧浜名郡と引佐郡）。道州制を先取りする一方、徹底的な分権と文化行政の充実を図る。文化は人と地域と未来を創ります。

エピローグ　未来への道筋

遠州考　136完

語り継ぎたい15人

「やらまいか精神」よ、後世へ！

4月7日から「宗一郎と喜一郎　ホンダとトヨタとニッポンの物語」を始めます。

あとがき

3年間にわたる「遠州考」の連載が終わりました。今回は２０２０年度分を収録しています。

日々のニュースを追っていた20～30歳代の頃、「新聞記者は大変だな」と思っていました。40～50歳代の管理職の頃は「面倒なことが多いな」と感じました。59歳で郷里に帰り、遠州考を始めましたが、「記者はなんておもしろいんだろう」と実感しました。遠州各地を回って話を聞いたり写真を撮ったりした日々は、発見の連続で、かけがえのない時間となりました。

一般ニュースを追いながらの執筆だったので、少なくとも掲載の2カ月以上前には書き終えました。ニュース取材に追われて自転車操業になってはとても続けられません。その分、推敲する時間もありました。取材で車を運転しているとき、「あの表現はこうした方いいな」と思いつくのも一つの楽しみでした。

記事や本ができたのは、取材に協力して頂いた皆さんのおかげです。様々な顔が浮かんできます。深くお礼を申し上げたいと思います。ありがとうございました。

記事は事実に基づいて書かなければなりません。しかし、多くの事実から何を選び、どう表現するかは記者の判断です。遠州考でどんな事実を選んできたか振り返ったとき、「自由な精神」ではなかったかと今になって思います。自由は何よりも大切だと考えています。思想や表現の自由、常識からの自由、権威からの自由、既成概念からの自由……。取り上げた多くの人たちは、自由な精神を持った人だったと言っていいように思います。自由には責任も伴います。そこに緊張感が生まれ、真剣な人生が生まれるのではないでしょうか。遠州の先輩らの人生に触れ、多くを学びました。

今回は遠州考以外に元首相・石橋湛山ゆかりの地を歩いた記事を収録しました。湛山は山梨で育ち、選挙区は旧静岡2区（富士川以東）でした。小日本主義を唱えた自由主義者、国際協調主義者です。小日本主義は戦前に実現しませんでしたが、戦争に負けて小さな日本になりました。湛山の体系化した構想、軍部の弾圧にめげず論陣を張った気概は、大いに見習うべきでしょう。戦前日本に湛山という人物がいたことは救われる思いがします。遠州にゆかりはありませんが、自由を考える一つのきっかけになればと思い、収録しました。

「はじめに」を書いて頂いた細澤礼輝静岡総局長、デスクワークを担当して頂いた長谷川潤、加藤裕則の両次長、浜松支局の菅尾保支局長、須田世紀支局員はじめ県内の同僚の皆さんにお礼を申し上げます。

３冊の本を出版して頂いた羽衣出版の松原正明さんに深く感謝します。いろいろなお願いを聞いて頂き、統一感と格調のある本に仕上げて頂きました。地方出版は文化の砦です。いつまでも続けて頂きたいと思います。

朝日新聞静岡版は２０２１年４月から、遠州出身でホンダとトヨタ自動車の創業者を取り上げた「宗一郎と喜一郎　ホンダとトヨタとニッポンの物語」を連載しています。こちらも読んで頂ければ幸いです。

２０２１年３月

長谷川　智

〈筆者プロフィール〉

長谷川　智（はせがわ・さとし）

1957年12月6日、静岡県磐田市（旧竜洋町）生まれ。磐田南高校、早稲田大学政治経済学部政治学科を卒業し、1980年4月、朝日新聞社入社。記者は、新潟、浦和支局、東京本社経済部、アエラ。管理職は、大阪本社・東京本社の経済部次長、アエラ副編集長、新潟総局長、東京本社経済部長、同編集局長補佐、名古屋本社編集局長、教育総合本部長などを歴任。2017年3月から浜松支局員（経済担当）兼掛川支局長。

著書に『遠州考　やらまいかを探る』（2019年5月・羽衣出版）、『人間を考えるヒント ダーウィン紹介者・丘浅次郎の知恵』（2020年1月・羽衣出版）、『遠州考Ⅱ やらまいかを探る』（2020年5月・羽衣出版）がある。

連絡先　hasegawa-s@asahi.com

朝日新聞静岡県版連載
遠州考Ⅲ——やらまいかを探る
令和3年5月1日　初版発行
定価　本体1500円＋税
筆　者　長谷川　智
発行人　松原　正明
発　行　羽衣出版
〒422-8034
静岡市駿河区高松3233
TEL　054-238-2061
FAX　054-237-9380

ISBN978-4-907118-62-4 C0021 ¥1500E